動物的內心生活

Das Seelenleben Der Tiere

彼得・渥雷本 Peter Wohlleben——著
鍾寶珍——譯

目錄 —— CONTENTS

【專文推薦】

不斷試圖走進他者的內心

吳明益

我這一生中，第一次讓我想成為「他」的人，叫做傑洛德．杜瑞爾（Gerald Durrell, 1925-1995）。這個出生於印度，十歲時移居希臘科孚島（Corfu）的孩子，一生沒有受過多長的正式教育。但他在科孚島開始擁有一個獨立的房間，裡頭裝滿了他的科學儀器、書籍，以及他自己採集、購買的動物，野地就是他的教室。長大後的杜瑞爾在動物園打過工、成為動物採集人，然後因緣際會在英國的澤西島開了一座強調動物福祉為優先的動物園，獻身於保育事業。

杜瑞爾一生寫了三十幾本書，多數關於那些他相遇過的動物，最知名的莫過於「希臘狂想曲」系列。（分別是一九五六年的《我的家人與其他動物》〔*My Family and Other Animals*〕、一九六九年的《鳥、野獸與親戚》〔*Birds, Beasts, and Relatives*〕，以及一九七八年的《眾神的花園》〔*The Garden of the Gods*〕）。

讓我羨慕的是，許多動物似乎都和杜瑞爾有著很特別的情感交流。比方說他提過一隻他從「甲蟲人」（一個販賣動物給孩子的人）手上買到的鴿子雛鳥，由於毛都未長齊，他把牠取名為「夸西莫多」（《鐘樓怪人》裡的主角）。杜瑞爾寫道：「由於牠未接受正規教育，又無父無母，夸西莫多不解『鴿』事，堅信自己不是鳥，因此拒飛，去任何地方都用走的。……我們做什麼，牠都想參加，甚至企圖跟我們出去散步。……夸西莫多堅持睡在房裡，再怎麼哄、怎麼罵，也沒辦法勸牠進駐我為牠搭建好的鴿房。」最有意思的，這隻鴿子還會跳兩種舞步，一種是華爾茲，一種是進行曲。

「夸西莫多」為什麼會有這些行為？或許跟動物行為學家勞倫茲（Konrad Zacharias Lorenz）發現的「銘刻」（imprinting）有關。部分動物會在一段由基因決定的短時期裡，接受環境刺激並且長久地植入個體的行為中，看起來就好像是天性一樣。夸西莫多因為被人類「領養」了，因而出現了特定的行為模式。

勞倫茲常被稱為是「動物行為學」（ethology）的先驅者之一，但在勞倫茲的時代，他的部分研究也被稱為「動物心理學」（Animal Psychology），也就是本能理論。

在閱讀彼得・渥雷本（Peter Wohllebwn）的《動物的內心生活》（*Das Seelenleben der Tiere*）

時，我一直想起杜瑞爾那幾本似乎「洞曉動物內心」的書，以及勞倫茲與他的後繼者，試圖從覓食與餵養、防禦與爭鬥、求偶與繁殖、社會活動與溝通，從遺傳學、生理學、演化和與適應生存的個體行為去進行研究的各種議題。時至今日，許多問題有了暫時性的結論，另一些則尚存在著歧異的科學判斷。只是，該怎麼形容這類研究的最終目的呢？科學家會有科學家的說法，但請恕我用文學性的語言去形容它：這很像是去探索一個陌生他者的內心——牠們的心靈與精神。

彼得・渥雷本在他的暢銷書《沒有看守人的森林》（*Wald ohne Hüter*）與《樹的祕密生命》（*Das geheime Leben der Bäume*）裡，就充分顯露出他是一位信仰「萬物有靈」的作者。但這並不是意味著他支持傳統的「泛靈論」，只是在相信科學的同時，他也相信動物「也會愛、也有同情心、更懂得享受生活」，並且希望用科學研究與自己的觀察從「相信」變成「證明」。

與《樹的祕密生命》相同，這本書由四十一篇文章串連起來，但卻不是鬆散的，而是前後有呼應、關連，並且潛藏著屬於「彼得・渥雷本式推理」的過程。他舉的例子包括了昆蟲、鳥類與哺乳動物，而這些例證，都是為了用一種眾人都能讀懂的行文方式，去說明「動物具有和人類相似的精神世界」。

動物是否也具有母愛？是否會撒謊？是否具有類似人類語言的溝通能力？這些問題的一個層次，正是動物行為學研究的重要議題，因此渥雷本常引用相關研究來說明。比方說關於「動物是否會欺騙」，他提到公燕子回到巢穴見不到母鳥時，會突然發出特殊的警戒鳴叫，讓母鳥誤以為路上有危險，便抄捷徑回巢。這由公鳥製造出來的假警報，科學家認為目的是想要阻止母鳥趁牠不在時有不忠的機會。而這種疑慮通常在母鳥下了蛋之後就會消失。

而晚秋的松鴉則會窺探同類如何藏下自己珍愛的糧食，並且竊取那些勤奮屯糧者的食物。研究者依照松鴉的這個習性，在鳥園裡鋪設了不同土壤的地面，有些是細砂，有些則是礫石。相對於在細砂裡挖掘幾乎不會發出聲音，小卵石卻會洩露行蹤。結果當競爭對手在松鴉雖然看不到但聽得到的範圍裡時，牠會選擇把食物藏在比較不會發出聲音的砂土裡。「反過來說，小偷的行動也會同樣因此變得更輕手輕腳一點：相較於平常在見到同類時總是七嘴八舌、聒噪不已，松鴉在窺視他人藏食物的過程中，會明顯地變得謹慎輕聲——毫無疑問，這是為了不讓自己的存在曝光。」

重要的是，彼得．渥雷本用了「可見這潛在的賊對於自己的行動是**深謀遠慮**的」來詮釋。他的詮釋，意味著「動物具有和人類相似的精神世界？」這個提問，還涉及另一個問題：那就是這些人類創造出來的詞（諸如靈魂、說謊、語言……）該怎麼定義？畢竟，當我們嚴格化

「欺騙」的定義時，或許公燕子的鳴叫就會被排除（欺騙需不需要學習過程？）但我們寬鬆化時，又變得很難區別，或總是忽略類似行為的差異性。像是渥雷本認為很多動物會「算數」這件事，恐怕就沒有多少科學家會接受。

渥雷本自己也知道這樣推衍的危險性，因此在他風趣的行文裡也常為自己踩煞車，說「直到最後，我們還是永遠無法得知，動物對恐懼、悲傷、喜悅或快樂這些情緒的感受，是不是與我們人類一樣。」但他認為自己「極有可能站得住腳」，唯一讓他持保留論點的是動物可能沒辦法像人類一樣「思考」，但應該具備多數人類具備的感性（直覺）能力。

有意思的是，「思考」正是這本書帶給我最大的閱讀樂趣。渥雷本這本奇趣橫生、博學又充滿心意的書，不只是告訴了我資訊，還告訴了我這位森林看守人、保育騎士如何「看待自己」，以及「不斷想走進他者內心」的意圖。

因此，這本書還自我辯證了他對動物倫理的一些態度。比方說當他從辦公室看到窗外樹上喜鵲攻擊椋鳥雛鳥時，忍不住出手相救，而後又反思：「我在喜鵲的眼中一定就是個惡棍」，因為自己很可能阻止的是牠的一餐飯。而他在辯證動物世界的「善與惡」、「靈魂的定義」時，也可以看出渥雷本並非一個濫情主義者，也不是「超驗論者」。森林看守人的生活，讓他真正體悟到了自然之道總是奠基於科學解釋，而和動物的深度相處，又使他不甘於全然地接受科學解釋……。這更讓我情不自禁，想成為渥雷本這樣的人。

畢竟，這個科學至上主義的時代，有些人總是忘了，人類是如此情感豐富，並且依靠此建立各種文明的生物。影響人類的各種判斷，除了理性之外，也還有直觀的感受。這讓我想起二○一六年的一起悲傷的新聞。

一名四歲男童在美國辛辛那提一家動物園，意外掉落西部低地大猩猩圍欄的壕溝。一頭名為哈拉姆比（Harambe）的雄大猩猩發現了，牠將男孩拉到一邊，控制了他的行動。後來遊客的尖叫聲似乎讓哈拉姆比感到不安，因此工作人員便射殺了牠。

黑猩猩研究者珍．古德（Dame Jane Goodall）後來發表了評論，她提到十年前（1996）在伊利諾州發生的類似事件，當時一名三歲男童墜入大猩猩生活區，並且昏迷。而母猩猩趕了過去，用右臂抱起男孩，把他送到十八公尺外一處管理員可以搆得到的地方。

事實上，再十年以前（1986），我文章一開始所提到杜瑞爾開設的澤西動物園，也曾經發生過類似的事件——一個小男孩掉到銀背大猩猩的柵欄裡。正當他的父母、遊客與趕來處理的管理人員都以為大猩猩會殺死這個小孩時，這頭名為揚寶（Jambo）的雄性大猩猩卻阻擋好奇的母猩猩與小猩猩接近，溫柔察看小孩。後來小孩醒來大哭，卻奇蹟式地毫髮無傷被救出。這個事件獲得ＢＢＣ的報導，當時的人們因此改變了對大猩猩的印象。因為多數人總以為大猩猩是一種強壯，面貌凶惡的生物（事實上牠是人猿裡最徹底的素食動物）。

辛辛那提動物園事件事後公布的錄影，專家從肢體動作判斷，哈拉姆比似乎沒有傷害男孩的意圖。但這也很難歸咎動物園的處置錯誤，畢竟，人真的能看透大猩猩的內心嗎？或只是自以為看透牠們的內心呢？

我在閱讀《動物的內心世界》時，不斷有這樣的問句反覆出現。彼得．渥雷本一面以科學知識、自身經驗告訴我們，是的，可以，我們可以藉由科學研究、長期的觀察、以直接或間接證據來說明動物之「心」。但真正的動物專家會只承認，人不過是經由行為與生理解剖，去判斷動物的反應與意圖。

但我想這裡頭或許有一個深層，也值得我們思考的問題，那就是：此刻人「願不願意」嘗試傾聽動物的內心？珍．古德在評論辛辛那提大猩猩事件時，提出一個千鈞之重的問句，她說：當雄猩猩被射殺時，同一欄圈裡的兩頭母猩猩是否也看到了這一幕？牠們是否也悲痛欲絕？

或許，對「身而為人」這件事而言，「人願不願意走入他者的內心？」比「人能不能走入他者的內心」這個命題還要重要。這是《動物的內心生活》如此迷人，而我願意透過閱讀，帶著它縋入自己心靈深處的根本原因。

本文作者為國立東華大學華文系教授、作家

【專文推薦】

像納美人般與動物心意相通

李偉文

一個世紀前，任職於美國林務局的奧爾多．李奧帕德（Aldo Leopold, 1887-1948）跟朋友外出打獵，當他興奮地朝一群在河邊的狼開槍後，衝下去察看他的獵物。

他在開啟往後一系列有關土地倫理的文章中寫道：「我們即時來到老狼身邊，看著她眼中猛烈的綠火逐漸熄滅。在那一刻，且從此之後，我理解到那雙眼睛裡存在某種對我來說是全新的東西——那是只有她和山才懂的東西。」

在李奧帕德那個時代，整個時代思潮是人類自居為萬物之靈，宰制自然萬物是天經地義之事，但是，一頭瀕死的野狼眼中透出的靈魂之光，改變了李奧帕德，從一個殘殺動物為樂的獵人，變成有土地倫理生態保育運動之父美譽的行動者，李奧帕德也影響了之後至今整整一個世紀的人。

我想，如果我們都能像李奧帕德一樣，願意凝視著自然萬物的雙眼，看進動物的內心，那麼，是不是能療癒當代人虛無茫然空洞的內心？或許知道這世界上還有許多生命與我們共享這個豐富神奇的地球，應該能安頓我們在近代物質文明興盛後，與自然愈來愈疏遠所形成的焦躁不安的精神吧？

這些年來，許多精神障礙的患者，在人類的動物同伴陪伴之下，都有明顯的改善，這大概也是來自於我們感受到這些動物的內心世界，以及牠們不吝嗇地展露出對人類的感情。

彼得．渥雷本用他一貫平易近人、深入淺出的文筆，分享了許多有關動物的研究與知識，知識可以提高我們的欣賞能力，我們到大自然旅行時可以只是站在門外欣賞，當然也可以在渥雷本的引領下，走進動物的內心，看到更多有趣的事物，體會到這世界的不可思議。

我們常常說大自然是一本值得閱讀的大書，但是真正懂得閱讀自然的人，應該會將大自然的奧祕，轉化為對我們的生活，不管在精神或心靈，都有所啟發與改變的契機，就像李奧帕德一樣。

電影《阿凡達》（*Avatar*）裡的納美人，不只是個寓言，而是懷想古代人類，抑或是憧憬未來進化的人類，可以像納美人一樣與載他們翱翔的動物心意相通，當代的我們是否能達到那種與大自然和諧相處的世界，或許就從閱讀《動物的內心生活》開始吧！

二〇一七年一月九日

本文作者為牙醫師．作家．環保志工

【專文推薦】

理解動物，善待彼此

阿潑

作為一個「毛球人」（某些人對貓狗愛好者的貶抑指稱），我時常疑惑，他人對於貓狗寵物喜好者的批評，像感情用事或是「擬人化」，是否為真？我也常聽到些動物溝通的故事，甚至也諮詢過溝通師，但在閱讀或聆聽時，內心也不禁懷疑：「是不是太像人了？動物真的這麼人性嗎？」

但，話說回來，什麼又是「人性」呢？即便是人的情感、內心與行為反應，受到文化、社會、教育等外在影響，很難說真的論定一種共通的心理過程，例如「母愛是否天生」，科學界也不斷透過各種研究證明。那麼，人又該怎麼理解、判斷，動物是否擁有類似人這樣的心理、性格或反應呢？再不斷地反覆詰問，最後，一切仍將落於虛無。因此，我很高興能讀到德國森林管理員彼得・渥雷本所寫的《動物的內心世界》。這讓我以人的態度對待自己的狗時，更顯得有正當性。

渥雷本顯然和每個熱愛動物的人一樣，「擅自」找出牠們和人類相似的部分。他在後記中指出：異議人士通常把「擬人化」視為不科學、空想或神祕教派，卻忽略了人類本也就是動物的一種。他也明白表示，人比起動物來說，最大的不同是「思考」，然而，像這種對人類而言極為重要的事，對動物而言，有意義嗎？他的這番話，確實也提醒了我自己，我們不應當以人類本位斷定任何事，評判其優劣性。

在這個前提下，回到《動物的內心世界》這本書，我們可以讀到渥雷本或陳述早就有的科學證據，如豬能夠聽懂、理解人類給牠的名字；或是描述自己的觀察：烏鴉藏食物時，會想辦法瞞騙敵人。尤其是觀察，這是身為森林管理員的他，所擁有的得天獨厚的環境資源。或許有些人會以為「觀察」，會夾帶觀察者本人主觀的詮釋，但我卻以為，所有生物知識，起初都是從觀察開始的，正是這些觀察，才讓人得以描述並紀錄那些行為軌跡。

這些看似輕巧的小短文，卻擁有非常紮實的論述，便是依賴他兩者兼行，並偶爾不忘坦承自己的不確定（如狗聽到名字後跑來，是知道自己叫什麼名字或只是當成「過來」？）都引領著讀者進入動物世界——不論你相不相信牠們擁有智慧或同理心，都能得到豐富且基本的動物生態知識，或者是有趣的小知識。像是我對動物懂得算數就感到非常訝異，牠們能知道餵食的日子，或是掌握人類的作息時間，以及我終於搞清楚蜜蜂如何行動，能判別喜歡和討厭的人，甚至能感受到「自己」。

讀著這些故事，讓我不禁想起自己最喜歡的好萊塢動畫電影，常常「擬人化」各種動物，像是《海底總動員》，讓我們理解海洋生物的習性（至少知道魚的記憶很短），或者是《動物方城市》以人的角度談述各種動物的基本生態。讓我印象最深的，卻是類似《蟲蟲危機》這樣的昆蟲故事——過去，我很怕昆蟲，很討厭螞蟻，但自從看了以昆蟲為主角的動畫電影，便開始以「人性」理解他們，腦中甚至出現牠們面對困難時的反應，於是，我很少捏死螞蟻，也不再看到昆蟲就覺得噁心。

我無法確知，動物與人類是否有類似的情感，但我知道，只要我們多理解牠們一分，願意將牠們視為「我們」的一部分，我們就能多保護這個世界一點，就能少傷害這個生態一點。

本文作者為文字工作者

【專文推薦】

用台灣的龍貓森林讓野生動植物能夠平安回家

張東君

像我這麼「多疑」的人，看到書名的第一眼就是吐槽：「莊子早早就說過『子非魚，焉知魚之樂』，作者為什麼要來跟我們講動物的內心生活？」不過當我帶著懷疑的眼光把整本書看完之後，我就可以接受這個書名。

因為作者雖然帶著許多對各種動物的感情，卻不煽情；他再怎麼喜歡動物，還是把動物當成動物，讓牠們維持野生、自然的樣貌。他用生動的筆觸和我們分享他自己的親身經驗，再加上他所知道的一些研究成果，讓我們會在看完書之後很想去拜訪他、參加他的活動、認識他周圍的動物們。又或者，在台灣找找類似的場地，辦辦同質的活動以饗大眾。

不過，請不要隨便找動物回家養，要養也只可以養已經馴化的一般寵物，千萬千萬不要為了羨慕作者有那樣的生活，就躍躍欲試地塗炭生靈啊。很多事，看別人做就好了。跟動物交朋友的最好方式，是在野外觀察牠們的生態與行為，而不是帶回家養，所以最重要的，是保留牠們的棲息地。

作者是一個為了追求自己的生態保育理念而不惜辭掉穩定工作的人（我可以往臉上貼金，說我在這一點上跟他很像嗎？），只不過他做的是森林看守人，我則是用各種個體戶的方式來做野生動物保育及教育推廣，外加現在開始要來推動台灣的龍貓森林，希望我們能夠替台灣的野生動（植）物留下棲息地，讓以石虎、穿山甲、麝香貓、田鱉等為首的各種淺山／里山*，以至於讓各種環境中的生物都能有家可歸。

關於我們能夠為森林做些什麼，作者的這本書裡也有不少可以當我們的參考。在我繼續往下寫之前，我要做一下問卷調查：請大家告訴我在台灣的山林裡，我們有什麼想像的動植物可以像宮崎駿的龍貓那樣，是無人不知，只要說出來大家就有共識，知道那是什麼、在何種環境中找得到嗎？我總不能說「魔神仔（魍神仔）」吧！畢竟大家都想和大大小小的龍貓交朋友，看看從牠們拎著那些殼斗科植物的橡實、櫟實種出來的龍貓森林，不管什麼時候，都沒有人想要遇到魔神仔啊！

言歸正傳。相對於許多人想到動物只會聯想到貓貓狗狗，在這本書中的四十一篇文章中講到的物種還真的不下數十種。由於德國所處的地理位置跟台灣相差甚多，我們看到的動物種類不同、生態不同、牠們的行為也會有所不同。當然，也有不少是共通的。依照物種，有些動物真的有母愛、真的會玩耍也很愛玩、會從一而終、會害怕會感到痛苦、會有私心會為了「大義」而犧牲「小我」……。

只不過這類行為通常是「結果論」，多半是動物學家在用數據整理過後得到的傾向，還不一定會有顯著差異。但是動物學家觀察到的真實動物世界，和文學或一般人想像中的，卻也通常會有滿大的距離。於是命好的（？），例如鴛鴦，明明就不是一夫一妻，卻被拿來當成在婚禮上祝福新人長久的代表動物；命不好的，像渡鴉，就活生生地被扣上會殺掉草地上牲口的這種莫須有罪名，而幾乎滅絕，因為牠們還真的在失去伴侶之後，不怎麼會再找下一個呢。

就像這樣的，作者在這本書中舉了非常多的例子，告訴我們真實的動物世界與人類的想像迷思之間的差距，有些是他自己的觀察，有些是文獻書籍中的資料。但是這些動物常識、知識

——註釋——

* 淺山／里山是指在來回腳程一天以內可及，有人類活動或利用的自然環境。最簡單的例子是《桃太郎》中的「老爺爺上山砍柴、老婆婆到河邊洗衣服」。

在經過他的消化與闡述之後，都變得非常的平易近人、好讀有趣，讓我們可以依照自己的興趣，從目次中挑選喜歡的主題排列閱讀的先後順序。然後，觸類旁通地在自己的生活周遭尋找對象或主題，比照作者的方式進行觀察。這樣一來，生活就會更加有生趣。不信的話，你也和我一起試試看。

本文作者為科普作家

【專文推薦】

探索動物的內心生活，尊重動物該有的空間，就能開創人與自然共存的契機！

蘇秀慧

因為動物與人類的不同，深深吸引著我們的目光，也因此激發我們去深入了解牠們；而當我們對動物有所了解後，也許就會發現牠們跟我們沒有太多不同！《動物的內心生活》這本書提供一個絕佳的途徑，讓我們看見動物的行為與習性與人的相似之處，也因此讓人更確定，我們與其他物種都是地球上的一分子，我們都與自然環境密不可分，福禍相依！

在試圖了解動物的世界時，人們是有無限熱情的！在《動物的內心生活》中，作者所討論的主題，包含了各式各樣我們會感興趣的動物行為，或者是動物驚人的「表現」，因為動物也會有恐懼感、動物也會羞愧與懊悔，也有同理心及利他行為，甚至也有欺敵或是哄騙同類的詐騙行為！這些在人類社會中經常被提及的情感及行為，並非是作者擬人化動物行為而來的。作者在書中提出自身對圈養動物及野生動物所作的行為觀察，以及列舉其他研究者的研究結果，提醒了我們，動物跟人類並沒有那麼不同。

屬於鴉科鳥類的喜鵲與渡鴉都能辨認出鏡中的自己，哺乳類中的人猿、海豚、大象及家豬也都能認出鏡中的影像就是自己，同時家豬的研究也明確顯示牠們能快速從鏡中理解自己與周邊環境的空間關係，很容易就能依照鏡中看到的線索找到被藏在一旁的飼料。作者對他家草地上經常來訪的烏鴉藏橡果行為的觀察，更是道出動物具有計畫未來的能力！

從動物個體間所觀察到的社會互動與社會關係也深深吸引人們的注意力，更充分顯示動物行為的複雜性！作者的可卡獵犬對家人所表現的感激之情不容輕忽，渡鴉與河狸終其一生只有一個伴侶，但有更多的物種可能是同時或不同時候跟不同個體之間存在著配對關係。領著鹿群的母鹿有可能因為沉浸在失去小鹿的悲傷與深深的悼念之情，而無法繼續擔任鹿群的領隊！

在昆蟲的社會中，蜜蜂工蜂群體所展現的某種超個體的能力，已被稱為「群體智慧」，牠們高超的定位導航行為與牠們獲取生存所需的資源息息相關，蜂隻間溝通蜜源所在與產量的行為更是精準傳遞了重要的訊息，也展現了計畫未來的能力！兔子世界的「兔」際關係與牠們的壽命長短有所關連。另外一提，狒狒研究也告訴我們，母狒狒間的社會連結品質與強度，與狒狒媽媽的壽命及狒狒寶寶的存活率皆有相關。

動物與人類都受到環境的形塑，我們藉由探索動物與自然的互動與關係，了解動物行為的功能與形塑行為的因素，同時也讓我們得以進一步思考人類與自然之間的關係。

在人類發展的過程中，有意或無意的，人類的作為成為形塑動物行為與動物所生存棲地的重要因素，但從文中〈野性難移〉篇章中所提到的歐洲野貓的例子，不難看出在我們一廂情願試圖改變動物的行為時，對動物所產生的負面影響，或許值得我們深思；我們該基於對動物與自然之間關係的了解，尊重動物與自然間緊密依存的關係，留給動物該有的空間，我們也會從了解動物的內心世界而獲得無上的喜悅，以及轉變損毀環境與滅絕物種的作為，朝向提高人類生活品質，與自然共存的方向前進！

就讓我們從停止餵食野生動物的行為開始，不再以食物影響動物的行為，真正去了解在自然棲地中活動的野生動物！

本文作者為國立屏東科技大學野生動物保育研究所副教授

【專文推薦】

人獸之差，幾稀矣？

鄭國威

彼得．渥雷本的寫作策略別具一格，他並不站在科學家的位置，用各種研究新知帶領求知者進入知識的原野探索；他也不像是個科學記者，用報導跟採訪來讓多元觀點紛陳或辯論，他當然也不像是我這樣的當代科學傳播工作者，總是想各種與時事跟熱點有關的梗來讓科學變得有趣。比起上述幾種常見的寫作策略，他更像是位散文文學家，寫著自己的馬、狗、羊，各種從小到大，在德國森林裡接觸過的各種動物。但過往這種自然書寫的問題是在科學面總是讓我感到不太踏實，不是太強調作者對自然生態土地風情的感受、就是在引用科學資料時比較隨意跟不精確，更常見的情況則是兩個問題都有，但在渥雷本的文章中，卻沒有這個問題，儘管從他的生涯作為，看得出來他是對自然生態抱有極高的熱愛與情感的，但他的書讀起來卻沒有一點為了讓讀者覺得自責而做的指責，即使大多數的人類對咱們自然環境幹得好事確實當受這樣的指責。相反地，渥雷本用很輕鬆、很愜意的第一人稱敘述著個人在自然裡的生活經歷，對自然萬物的感受，當中貫穿著科學思維與扎實的科學研究知識。他將其實可以很複雜難懂的動植物知識，用不失科學本質的方式，溫柔遞交在我們手掌上。讀他的文章，不會讓你的生態焦慮（泛指因為自覺人類對自然生態造成太多負面影響而產生的焦慮）發作，而是會讓你真心地、謙虛地，想要跟渥雷本一樣，用自己好奇的雙腳走進那片森林，向森林裡的萬物學習。

他上一本書《樹的祕密生命》在德國熱賣，這本《動物的內心生活》該算是姊妹作，兩本書傳達的訊息一致，就是希望看了書的人能夠想通一件事：我們如果了解植物與動物多一些，就會發現我們其實很相似。而我們在大量消費生物與破壞環境的時候，會多想一想「森林裡的好朋友們，你們還好嗎」？

因此，我認為渥雷本的溝通對象，一部分是在生活上遠離了自然的絕大多數人類，另一部分——我認為可能是更重要的一部分——則是某些認為人類以外的生物都不具備人類才有的特質的「理性唯人論者」，這些人包括一部分的科學家，他們可能認為科學還無法驗證動物具有感情，所以應該視為沒有，以免在研究上以及認知上產生偏差。渥雷本認為這樣的科學觀是偏狹的，甚至更無視自然界給予的種種證據。另外還有些人是為了利益，不希望宣傳「雞跟豬都是有感情、懂得思考的生物，就跟人類一樣」，或「害蟲的稱號其實只是忘記自然的多元豐富性的人類自己冠上的」，這些都是渥雷本在書中提及過的。為什麼呢？因為當人類需要大量消費動物時，我們會矇起眼睛，無視這些生物也有喜怒哀樂，也在乎悲歡離合，轉而說服自己這些動物只是受荷爾蒙驅使的演化產品，他們只是消費品，跟人類不能放在一起比擬。許多產業需要我們持續如此說服自己，不然會影響生意，然而渥雷本跟其他許多環保倡議者不同的地方在於，他讓你透過學習知識與他的經歷感受到自己矇住眼睛太久，帶著我們慢慢看見、想要看見，而不是直接大剌剌地撕開那層已經跟我們的血肉黏成一體的遮眼布。

難以避免地，應該還是會有人認為渥雷本在描述動物時太過擬人，但我想他在本書的最後結語處也已經有很好的回應。我認為，能夠同理其他的生物，能夠向其他的生物學習，才是人類最珍貴的存在價值。如果對動物與自然的陌生是造成我們人類犯下許多錯誤決定的原因之一，那像渥雷本這樣，孜孜不倦地讓我們看見人與動物的差距——或「沒有差距」——應該是讓我們在犯下更多錯誤前，必須得做的事情吧！

本文作者為 Pansci 泛科學總編輯

前言

公雞會向母雞撒謊？母鹿會哀悼服喪？馬兒會自知羞愧？一直到幾年前，這一切聽起來都還像是無稽之談，是那些喜愛動物的人，為了讓自己感覺更親近自己豢養的動物所羅織出的痴心妄想。就我來說，情況其實也沒什麼兩樣，因為我的人生至今一直都有動物相伴——不管是小時候家裡那隻認定我是媽媽的小雞，或是林務站旁那群用愉快的咩叫聲豐富我每個工作日的山羊，還是那些我每天在林區進行例行巡邏時都會遇見的森林動物。我總是這樣自問：牠們的腦袋裡在想些什麼呢？難道真的就像科學家長久以來所認定的那樣，只有我們人類懂得七情六欲的滋味嗎？造物者就只為人類開出了一條生物特別途徑，而這是享有自覺與充實生活的唯一保證，真的是這樣嗎？

假若以上問題的答案都是肯定的，那本書在這裡就可以劃下句點了。因為如果人的生物構造真的與眾不同，也就無法跟其他物種相比較。對動物產生同理心也會變得毫無意義，因為對於牠們腦子裡在想些什麼，我們可能連最基本的揣摩猜測都做不到。不過幸好大自然為自己選定了一種「經濟型」原則，在演化的過程中它經常「只是」將現有的版本加以改造或調整，類似電腦作業系統。這麼一來，如同全新的 Windows 10 裡許多舊版本的操作功能依然有效一般，祖先的基因程式也仍舊在我們的體內運作。而那些在百萬年的時間長河中，從這支來源分出自己譜系樹的所有其他物種，身上同樣也保留著祖先的基因密碼。

因此就我的理解，這個世界上並沒有兩種不同的悲傷、痛苦或愛。當然，說一頭豬可以像我們一樣感受，或許聽起來過於大膽，然而「受傷」在牠身上引發的不適感會比人類少的可能性，卻趨近於零。聽到這句話科學家可能要發出一聲不贊同的「喔？」，然後宣稱這尚未經過證實。沒錯，而且這永遠也沒人能證實。別人的感受是否和我一樣，再怎麼說也只是個理論；沒有人能夠真正看穿別人的內心，能夠證明地球上的七十億人口被針戳了之後會有同樣的感受。然而至少人類可以用語言表達感受，而這種相互告知的結果提高了這個可能性——所有的人在感受的分級與類型上趨向類似。

我家的母狗馬克西總是這樣，在廚房裡狂掃掉一整碗丸子後立刻換上一張天真無辜的臉，牠不是會行走的食物終結機，而是個機靈無比、討人歡心的小滑頭。我愈常且愈仔細觀察家裡的動物，以及牠們那些在森林野地裡的遠房親戚，就愈能在牠們身上發現那些所謂人類獨有的情感表現。而且在這個觀點上我並不孤單，有愈來愈多的研究者理解到，許多物種和我們擁有共通性。烏鴉之間存在真愛？這已被證實。松鼠認得出親戚的名字？早就記載了。人類所及之處，都找得到牠們也會愛，也有同情心，更懂得享受生活的證據。

在此同時，雖然這個知識領域裡累積的科學研究報告俯拾皆是，但它們實際上所各別揭露的，不僅多是微觀片面，書寫的方式更經常偏於枯燥乏味。這使它們幾乎很難成為讓人樂在其中，特別是給人帶來更多理解與知識的讀物。因此我很樂意擔任「翻譯者」，透過這本書把那些精彩的科學研究成果，用輕鬆易懂的日常語言轉譯出來；也把一塊塊零碎的拼圖組合成一幅完整的畫，過程中再以自己個人的觀察增添點興味。

最後完成的這幅圖，描繪的是我們周遭的動物世界，其中所有那些經常被形容為由固定的基因密碼驅動、行為有如遲鈍麻木的生物機器人的物種，全都化身為擁有忠誠靈魂且討人喜愛的小精靈。而牠們的確如此，就像你在我的林區或家附近的公園與森林漫步時，會看到的山羊、馬兒和野兔那樣。究竟是不是這樣，你要不要也一起來瞧瞧？

鞠躬盡瘁的母愛

松鼠媽媽照顧孩子的方式，完全是自我犧牲的。

那是一九九六年一個熱到讓人汗流浹背的夏日。為了消暑，妻子米利暗和我在花園裡的樹蔭下搭起了充氣的橡皮戲水池，我和兩個孩子就這樣坐在水中，津津有味地啃著清涼多汁的西瓜。突然間我從眼角餘光瞄到一些動靜，一團銹褐色的小東西正朝我們的方向蹦跳而來，中途還不斷伴隨著短暫的停頓。

「松鼠！」孩子們興奮地叫嚷著，我的喜悅卻很快地轉變成深切的憂慮，因為這隻松鼠走著走著身體突然往旁邊歪了一下。牠很明顯是生病了，再繼續走幾步後（還是朝著我們的方向！），我認出了牠脖子上突起的肥大腫瘤。從各種跡象看來，這是一隻正受病痛折磨，或許甚至具高度傳染性的動物；而且牠移動的速度雖慢，卻是穩穩地朝我們的戲水池前來。我心裡已經盤算著要跟孩子們開始撤退，可是情勢卻忽然急轉直下，一幅動人的畫面出現在我們眼前：那個所謂的「腫瘤」，竟然是一隻把自己像毛皮衣領一樣緊扣在媽媽脖子上的松鼠寶寶！松鼠媽媽因此幾乎吸不到空氣，再加上那熾熱到令人窒息的高溫，在牠精疲力盡地倒下並竭力再爭取些空氣前，每一口氣都只能讓牠再撐幾步路。

松鼠媽媽照顧孩子的方式，完全是自我犧牲的。遇到危險時，牠會用前面描述的方式把孩子扛到安全的地方；也因為松鼠一胎最多可以有六隻，僅僅是讓孩子們攀附在頸脖上依次帶走的任務，就已經夠讓牠精疲力盡的了。然而即使有媽媽的悉心照顧，松鼠寶寶的存活率依舊不高；大約有百分之八十的小松鼠，無法撐過自己的第一個生日。

厄運通常在晚上降臨：這些紅毛小傢伙雖然有辦法在白天逃過大部分天敵的魔掌，死神卻經常在牠們沉入夢鄉時來敲門。像松貂就會在黑暗中躡手躡腳地潛行於樹木枝椏間，然後讓這些睡夢中的小動物措手不及。陽光普照時最危險的則數蒼鷹，牠的飛行技術大膽高超，總是穿梭呼嘯於樹木間，目的就是要偵察下一頓野味佳餚。松鼠行跡一旦曝光，接下來要經歷的，便是一場恐懼盤旋竄升的生死競賽。如同字面上所描繪的，松鼠為了避開這隻猛禽會盡快逃到樹幹背面，然而擅長急轉飛行的蒼鷹會窮追不捨。於是乎，動作靈巧的松鼠像一陣風似地不斷繞著樹幹打轉，蒼鷹則緊咬在後，兩隻動物繞著樹幹盤旋，一場疾速追逐大戰正式上演。誰的身手較為敏捷誰就勝出，而贏家經常是那隻嬌小的哺乳動物。

不過對於松鼠來說，比所有動物天敵都還要可怕的威脅是冬天。為了順利度過嚴寒時節，牠們會築起冬天的巢穴。形狀像一顆圓球的松鼠窩，是架在樹冠層上枝椏分岔的地方；而且為了方便逃離令人不快的不速之客，牠們用爪子做出兩個出口。這個巢穴的基礎結構是由許多細小的枝條組成，裡面還有以柔軟苔蘚鋪成的軟墊，這使牠的樹頂小公寓不僅具有保暖效果，而且還頗為舒適。舒適？沒錯，即使是動物也講究舒適。要是得躺在不平整的硬枝條上睡覺，松鼠也會像我們一樣感覺很糟；而柔軟的苔蘚床墊，則可以保證舒適安穩的一覺。

從我辦公室的窗口，經常可以觀察到松鼠是如何從草坪上揪出這些毛絨絨的綠色植物，然後搬運到高高的樹上。而且我也可以觀察到，一旦橡樹和山毛櫸樹的堅果開始在秋天掉落，牠是如何費心地收集這些富含養分的種子，然後把它埋到幾公尺外的地底下，做為過冬的預備糧倉。也就是說，松鼠不會進行真正的冬眠，而是在這段萬物休養生息的期間，泰半維持著安安靜靜的瞌睡狀態。藉此減少身體需求的能量，但又不像刺蝟那樣，把整個身體的耗能機制調降到最低。在這個過程中，松鼠會不斷醒來並感覺到飢餓，牠會身手俐落地爬下樹來，開始搜索牠為冬天辛勤預藏的無數糧倉之一。牠找呀找的……那小小的腦袋努力回想種子藏在何處的畫面，乍看之下簡直令人發噱——牠會這裡撥幾下，那裡挖一會兒，中間還總會稍坐片刻，好像牠需要停下來再好好地想一想。

這的確很難：因為整個地表景觀，自秋天以來看起來幾乎完全不一樣了。樹木與灌木的葉子都已落盡，所有的草類也已枯萎，尤為甚者，是有如棉絮般的皚皚白雪還經常把一切都包覆得面目全非。每當看到充滿疑惑的松鼠摸不著頭緒地費力搜索，我就無法抑制我的同情心；因為大自然正進行著一場殘酷的篩選競賽，而絕大部分記性不怎麼好的松鼠——大多是這年的新生兒——會活不到明年春暖花開時，牠們會因為過度飢餓而被無情淘汰。

因此，有時候我會在老山毛櫸森林保留區裡，發現一簇簇剛抽出芽來的小樹。山毛櫸樹的幼苗看起來就像綠色莖梗上停了隻蝴蝶，而且通常只會個別散落地出現；以一小簇的方式集體現身，就發生在種子沒被松鼠取走的位置，這經常就是出於健忘，而且有著前述的致命後果。

就我而言，松鼠也是說明人類如何將動物世界加以分類的絕佳例子。牠的長相可愛討喜，不僅有著一雙烏溜溜的圓眼睛，還披了一身柔軟美麗的紅色毛皮（當然有的是黑棕色），對我們人類也絲毫不具威脅性。因為春天時從牠遺忘的橡果儲藏室裡會抽出小樹的嫩芽，牠甚至還被視為是新森林的「奠基者」。簡單地說，松鼠是真正的小小萬人迷！也因此我們喜歡淡化一個事實：牠最愛的美食，其實是雛鳥。

就連捕獵的過程，也可以從我在林務站辦公室的窗口觀察到。一到春天，每當身手俐落的松鼠一溜煙地順著樹幹往上竄，總會在我們入口車道旁的那片松樹林上引起一陣大騷動；因為每年此時，都有一小群田鶇正在這裡孵育牠們的新生代，牠們會繞著樹木嘎嘎尖叫並疾速地振翅撲打，為的就是要驅逐侵入者。松鼠是田鶇的死敵，牠可以毫不留情地攫走一隻又一隻羽翼未豐的雛鳥。即使身處於樹洞巢穴，對幼鳥的保護也十分有限，因為松鼠瘦長的前肢有著又長又利的爪，足以把大家都認定待在樹洞裡比較安全的幼鳥給鉤出來。

所以松鼠現在比較像是凶惡的壞蛋，而不是善良的小可愛了嗎？其實兩者皆非。造物者在創造牠時的一念之間，恰好讓牠長了一副能夠喚醒人類保護本能的模樣，我們也因此對牠心生好感，但是這與一種動物對我們是否具有「益處」或者「用處」完全無關。相反地，吃掉了我們同樣很喜愛的鳴禽幼鳥，也並不代表罪大惡極，每一種動物都會飢餓，也都必須養育尚需母親哺育的幼兒。假若松鼠滿足蛋白質需求的方式是吃掉白粉蝶的毛毛蟲，我們的反應或許就會更熱烈，對松鼠的喜愛和好感度直達百分之百，因為除掉菜圃裡的最大害蟲簡直大快人心！然而白粉蝶的毛毛蟲同樣也是年輕的生命，是蝴蝶的孩子。如果把這些蟲寶寶除掉的理由，只因為牠們愛吃的東西正好是人類認定為食材的植物，對整個自然界來說絕非善舉。

不過松鼠對於人類是怎麼把牠分類的可一點都不關心，為了讓自己及同類可以在自然界中繼續生存，特別是同時還要保有生活樂趣，牠已經忙得不可開交。讓我們再度回到母愛的主題：這些紅毛小精靈真能感受得到這種情感嗎？一種強烈到甚至可以將自己的生命置於孩子之後的愛？那會不會只是荷爾蒙一時激發，快速流竄過動脈並啟動了原本就內建的「關懷」程式？科學上經常傾向於將這類生物過程貶低為無法自主的機制，不過在把松鼠或其他物種歸類成這種稍嫌乏味單調的生命之前，我們不如先來看看人類的母愛。

當一個母親把自己襁褓中的骨肉抱個滿懷時，她的體內會產生什麼變化？母愛是與生俱來的嗎？根據科學研究，答案可以說是對，也不對。母愛並非與生俱來，但一位準媽媽的身體，的確具有發展出母愛的先決條件。女性在即將臨盆之前，體內會分泌出一種名為「催產素」的荷爾蒙，正是這種荷爾蒙，會使母親與嬰兒之間產生強烈的連結感；除此之外，她的體內還會釋放出大量具有減輕疼痛和緩解恐懼作用的腦內啡。即使在生產後，她的血液中還是會一直有著這幾種荷爾蒙，這使她能夠以完全放鬆且樂觀的態度迎接寶寶的降臨。

哺乳會進一步促使催產素分泌，也會更強化母親與嬰兒之間的連結。其實許多動物都有類似的現象，我的家人和我在林務站宿舍外所養的山羊就是如此（順帶一提，母羊也會分泌催產素）。對牠們來說，親子間彼此的相見歡，是從母羊舔乾新生小羔羊身上黏液的儀式開始。這個過程鞏固了母子之間的連結，此外母羊還會不斷輕聲溫柔呼喚，小羊則會回應以細微但尖銳的咩咩叫聲，如此一來牠們便會把彼此的聲音牢牢地刻印在心底。

但是要小心——如果這個舔乾黏液的儀式出了什麼差錯！我們林務站有一口大箱子，是特別為即將臨盆的動物媽媽所準備的隔離空間，目的是讓牠們可以不受干擾地生下寶寶。這口箱子的門在靠近地面的地方有個小縫，而在某次生產中，一隻體型特別袖珍的小羊不知怎麼地就從這個縫裡滑了出來，等我們發現這個小意外時已經來不及了，小羊身上的黏液已經乾了，消逝的珍貴時光也不可復返。這個意外的後果，是無論我們再怎麼努力都沒辦法讓小羊的母親接受牠了，母山羊就是無法對這隻小羊再產生母愛。

對人類來說，情況其實十分類似。在醫院裡，一旦剛出生的嬰兒必須與媽媽分開一段較長的時間，母愛缺席的可能性就會跟著升高，不過當然不像在山羊的例子裡那麼顯著與戲劇化——因為人類可以習得母愛，並非完全仰賴荷爾蒙的作用，否則像領養這樣的案例根本不可能成立。在那種情況下原本彼此陌生的母親與小孩初次見面時，孩子通常已經有好幾歲大。

領養的行為，因此也是測試母愛是否可以習得且並非只是一種本能反應的最佳途徑。不過在我們更深入探討這個問題之前，我很樂意先來說明什麼是「本能」。

本能——低等的感受？

世界上根本不存在另一種母愛。

我常聽到有人這麼說，拿動物的感受來跟人類比是不會有什麼結果的，畢竟動物總是依本能來行事與感覺，而人類仰賴的則是意識。依本能行事是否就比較低等？在我們致力於釐清這個問題之前，或許應該先來看看本能到底是什麼。

科學上把所有出於下意識、也就是不假思索而發生的行為，都歸結在「本能」的概念之下，它可以是來自先天性的基因設定，也可以透過習得。它們的共同點是因為省略了大腦認知處理的過程，所以整個行為發生得非常快。經常是我們的體內在特定狀況下（例如忿怒）產生了某種荷爾蒙，此種荷爾蒙會引導我們的身體做出反應。所以說動物是全自動操控的生物機器嗎？在過分輕率地做出判斷前，我們應該先回頭檢視一下人類自己。

即使是人類，其實也少不了出於本能的行動——甚至還恰好相反。想想如果我們一個不小心把手擱在熱燙的爐台上，應該都會閃電似地把手抽回，不會有人在意識裡先進行以下的思考：「奇怪這裡聞起來有點焦肉的味道，而且我的手為什麼突然這麼痛？噢，或許我該把手抽回來……」不，這整個行動的發生完全出於自動，與有意識的決定無關。所以人類當然也具有本能，問題只在於它對我們的日常生活影響到何種程度。

為了稍微解開這個謎團，我們應該花點心思來參考一下人腦的新研究。在一份發表於二〇〇八年的研究報告中，位於萊比錫的馬克斯・普朗克研究院（Max-Planck-Institut）就揭露了某些驚人的事實。利用能夠在電腦上呈現出腦部活動的核磁共振成像技術，研究人員觀察了必須執行決策任務的受試者（他們必須做出以右手或是左手按下一顆按鈕的決定）。研究發現，最快在受測試者有意識地做出決定前的七秒鐘，他們腦部的活動就已經清楚傳達出之後出現的結果。換句話說，當受測試者還在考慮要做出怎樣的決定時，要以哪一隻手按下按鈕的行動其實已經開始了。因此觸發我們展開行動的機制，事實上並非意識，而是潛意識；意識在幾秒鐘之後所傳達的，幾乎只不過像是一種聲明。

不過因為腦部這類運作過程的相關研究才剛起步，不僅很難論定有多少比例，以及有哪一類思考決策是以這種方式在運作，也無法判斷我們是否有辦法抗拒這種由潛意識支配的過程。但是無論如何這也已經足夠讓人嘖嘖稱奇，原來所謂的「自由意志」在作用上經常要比「事實」的發生慢上好幾拍；說穿了在這裡它根本只是為我們脆弱的「自我」提供了一個藉口——透過它我們產生了良好的自我感覺，隨時都覺得自己是不受支配限制的情勢主導者。[1]

因此，在許多情況下支配我們行為的，反而是潛意識。那透過我們的理智，以意識來處理的部分又有多少呢？其實到頭來也無所謂，因為本能反應的行為可能的確占了高得驚人的比例，但這個事實只說明了：恐懼、悲傷、喜悅和快樂等情緒的體驗，並不會因為是由本能所觸發而變味；它們只是並非透過人的意識主動產生，但強度絲毫沒有受到破壞。至少現在真相大白，原來情緒就是潛意識的語言，也正因為借助潛意識的反應，我們才不至於在日常生活的訊息洪流中滅頂。碰到熱燙爐台的手，痛覺會讓它在第一時間立刻縮回來；快樂的感覺會讓我們行事更加積極正面；而當一個決定可能具有危險性時，恐懼感則能確保我們更理智地做出判斷。只有少數真正必須或者應該透過深思熟慮才能解決的問題，才會深入我們的意識中，並在那裡被好好地分析與處理。

因此感受基本上並不是與「意識」、而是與「潛意識」相互連結的。如果說動物沒有意識，那只不過意味牠們不會思考；然而每種動物都具備潛意識，而且潛意識一定會干預並控制情緒反應，因此所有的動物都一定會有感受。所以出自本能的母愛絕對不可能較為低等，因為這世界上根本不存在另一種母愛。在這裡人類與動物唯一的差異，是我們可以有意識地激發母愛（和其他的感受），就像領養的例子；在這種情況下，親子之間經由生產過程自然而然萌生的那種連結並不存在，他們人生中的初步接觸通常要比那晚上許多。然而出於本能的母愛，終究會隨著時間積累而來臨，不曾經歷生產的媽媽，血液中也會出現能夠觸發母愛的荷爾蒙。

所以這算是我們終於發現了一塊人類獨有、動物無法涉足的情感飛地嗎？針對這點，讓我們再回頭看看小松鼠吧！加拿大曾經有研究人員花了二十幾年，觀察牠生活在育空河畔的大約七千隻的遠房親戚，即便松鼠是獨行俠，研究者還是記錄到了五件領養的案例。不過這幾隻有幸被非親生母親養大的小松鼠，其實都與養母具有親屬關係。也就是說只有具備姪甥輩或孫子輩等身分者，才有機會被領養，由此可知松鼠的利他主義是有限度的。單純從演化的角度來看，這樣的行為當然好處多多，因為松鼠藉此可以把與自己相似的基因繼續保存且傳承下去。[2] 此外，二十年裡五個案例這數字，若真要拿來證明一種從根本上樂於領養的態度，其實也不怎麼令人信服，因此還是讓我們再看看其他動物吧。

看看狗兒吧！二〇一二年時，一隻名叫貝比的法國鬥牛犬曾經一度登上了頭條新聞。貝比住在德國布蘭登堡邦的動物收容中心，某天那裡有人送來了六隻小野豬；根據推測，母豬媽媽很可能已經喪命於獵人槍下，而這些條紋毛色的小東西，靠自己存活下去的可能性幾乎是零。不過現在這些失恃的小野豬在收容中心裡，不僅得到了充足的奶水，還有滿滿的愛。奶水是來自照護人員手中的小奶瓶，而愛與溫暖的呵護則是來自貝比的付出。

這隻法國鬥牛犬毫不猶豫地收養了一整隊小野豬，還允許牠們緊緊依偎在自己身旁入睡。即使在白天，牠也一樣不時密切地關照這幫鬧哄哄的淘氣鬼。[3]這算真正的領養嗎？畢竟貝比並沒有親自哺乳這群小野豬，不過在人類領養的案例中又何嘗不是如此；何況在一些其他相關的報導中，的確有狗兒親自哺乳了陌生幼仔的例子，就像古巴那隻名叫耶提的母狗。因為有幾隻新生的寶寶被送走了，所以耶提有著豐富的剩餘奶水，主人的院子裡這時候恰好增添了一批豬，於是牠不假思索地領養了其中的小豬，即使小豬的媽媽都還健在。十四隻小豬仔除了跟著牠們的新媽媽在院子裡四處蹓躂，更從狗媽媽那裡得到了奶水！[4]

所以這是「有意識」的領養嗎？或者耶提只不過是母愛氾濫，把情感投射在小豬身上？其實這個問題放在人類領養的案例中也同樣有效，我們是否也想藉此為自己強烈的情感尋找寄託？僅僅是我們養狗或其他寵物的行為，就足以拿來與不同動物間的領養比較，畢竟許多毛小孩在人類社群中的地位，幾乎等同於正式的家庭成員。

然而也有一些不同的案例，在其中甚至沒有過盛的荷爾蒙或多餘的奶水來成為激發母愛的動力。烏鴉墨西斯就是個觸動人心的例子，我們不妨來看看牠的故事。鳥類先天就具備宣洩積鬱的母性本能的可能性，縱使痛失雛鳥，也可以直接從頭來過，重新孵一窩。特別是像墨西斯這樣形單影隻的烏鴉，理論上更沒有那種要像母親般關愛其他動物的理由。而且牠找到的對象，還正好就是鳥兒潛在的死敵——一隻家貓！

的確，這隻小貓十分瘦弱，看起來也相當楚楚可憐，牠顯然沒有了母親，也餓了很長一段時間。安娜和瓦里．科里托住在美國麻州北阿特爾伯勒的一幢小房子裡，這個流浪的小東西某天突然出現在他們的花園，使他們有機會欣賞到不可思議的景象。因為有隻烏鴉加入了小貓的行列，而且牠顯然把自己視為小貓的保護者。牠用蚯蚓和甲蟲來餵養這個小孤兒，當然科里托一家人沒有袖手旁觀，他們也為小貓準備了飼料。即使已經成年，烏鴉與家貓的友誼依舊長存，直到五年後的某一天，烏鴉突然消失無蹤。[5]

讓我們再回到本能這個主題。其實在我的認知裡，不管是受到潛意識的驅遣還是經過有意識的思慮，母性在本質上並沒有差異。畢竟在這兩種情況中，母性「感覺」起來並沒什麼兩樣。而且可以確定的是，以人類來說這兩種類型都存在，只不過由荷爾蒙觸發本能的例子或許更常見也更具代表性。即使動物無法真的經由意識喚起母愛（那些跨越物種收養其他動物寶寶的案例，值得我們好好思考一下），只具有潛意識激發的母性本能，這份舐犢之情還是一樣美好而強烈。當松鼠媽媽揹著緊緊揪在牠頸脖上的寶寶，越過酷熱得幾乎是嗤嗤作響的草地時，完全是發自內心深植的母愛——這樣的認知，使這段經歷對我而言格外動人。

跨越物種的愛

如果有動物是自願親近我們且樂於與我們為伴，豈不是更美好？

動物真的能夠愛我們嗎？其實在討論松鼠的主題時我們就看到了，僅僅要證明同一種動物間的這種感受都已經十分困難，現在還要探討跨越物種的愛？更何況還偏偏只針對人類？這讓「跨越物種的愛」純粹是自作多情的想法油然而生，只因為這樣想能讓我們比較能夠忍受這個事實：我們「囚禁」了自己的寵物。

首先讓我們再回頭審視一下母愛，因為人類確實可以主動激發這種特別強烈的愛，而且我在青少年時期就曾經有機會體驗過。當時的我對於大自然及周遭環境就已經充滿了興趣與好奇，生活中可以自由運用的每分每秒，我幾乎都是在外頭的森林裡或萊茵河畔的幾個人工湖邊消磨度過。我喜歡模仿青蛙呱呱的叫聲，只為了要引誘牠回應；有時候也會把蜘蛛封在寬口玻璃瓶裡，這樣我才能好好地觀察牠；又或者會抓出藏在麵粉裡的黃粉蟲，一同經歷牠變身為黑色甲蟲的過程。除此之外，夜晚的我則總是沉浸在動物行為學的閱讀世界（不用懷疑，卡爾・邁*和傑克・倫敦**絕對也在我的床頭櫃上）。

在其中一本作品裡我讀到了，人類有辦法讓小雞對人產生「銘印」。只要設法「孵出」一顆蛋，並在小雞即將破殼而出之前對牠「說話」，如此一來，這個小生命便會全神貫注在這個人而非母雞身上，而且這樣的關係會終其一生維繫著。實在太有趣了！我父親那段時間剛好在花園裡養了一隻公雞和幾隻母雞，因此要拿到受了精的蛋當然是輕而易舉，不過因為沒有孵蛋器，我只好退而求其次地拿個舊發熱枕來充當。可是問題來了，雞蛋的孵化溫度是攝氏三十八度，因此每天必須翻動數次以讓它降溫。這件母雞生來就無師自通且做起來也游刃有餘的差事，現在我卻必須挖空心思，用圍巾和溫度計笨拙費力地來完成。整整二十一天，我得不斷量溫度，多一點少一點地調整覆蓋在雞蛋上的圍巾，小心翼翼地翻動著它，並在裡面的小生命預計破蛋而出的幾天前，開始對著它自言自語。到了第二十一天，一團全身毛絨絨的小東西真的準時破殼而出，踏上自由之路，我立刻把牠命名為羅賓漢。

這隻小雞可愛得不可思議！鵝黃色的絨毛上布滿了小斑點，烏亮的眼睛總是骨碌碌地盯著我轉。牠從不願離開我身邊，只要我一不在牠的視線裡，就會立刻恐懼不安地啾啾叫；不管是如廁、看電視或上床睡覺，羅賓漢總是守在我身旁。只有在上學時我必須把這個心情沉重的小傢伙留在家裡，也因此每次一回家就會受到無比熱烈的歡迎。然而這種內心的牽掛，對當時的我來說實在壓力太大，哥哥因為同情，和我輪流照顧羅賓漢，讓我有時候也可以毫無掛慮地做點什麼事，不過最後他也棄械投降了。

進入青少年時期的羅賓漢，最後到了一位熱愛動物的英文老師家裡。男人和小雞很快就變成了朋友，而且有好長一段時間，人們總能在隔壁村子裡看見這對一起散步的好搭檔——老師安步當車，羅賓漢則蹲踞在他的肩膀上。

羅賓漢和人類建立起真實關係可以作為證明。而且說不定每個養過動物、當過幼小動物的代理母親的人，也都能分享類似的故事；就像我太太用奶瓶親手養大的小羊，終其一生都和人十分親近，人類在這裡扮演的是養母的角色，而這無論如何都極其動人。不過站在動物的立場，這樣的關係並非全然出於自願，特別是如果牠們還得為自己的生命感謝這些人。想想如果有動物是自願親近我們且樂於與我們為伴，豈不是更美好？不過真的有這種事嗎？

為此我們必須離開母愛這個領域，更廣泛地尋找這種關係。因為畢竟每一種動物都會長

——譯註——

＊ 卡爾・邁（Karl May, 1842-1912），以通俗小說聞名，是作品最為廣泛閱讀及翻譯的德國作家之一。

＊＊ 傑克・倫敦（Jack London, 1876-1916），美國二十世紀著名現實主義作家，代表作有《野性的呼喚》。

大，並足以做出到底是要繼續待在人類身邊或寧可走向自主獨立的決定；許多剛出生不久的小貓小狗會來到我們身邊並非平白無故，因為這些小傢伙大概也沒什麼選擇的餘地。關於這點，我們大可正面一點來看待：或許雖然還帶著離開媽媽的一點悲傷，這些不到幾星期大的小傢伙在經過幾天的適應後，通常可以很快地與像父母一樣照顧牠的人親近起來，而且就像奶瓶餵養的小羊一樣，這種連繫一輩子都會很強烈。不過雖然人與動物都很享受這樣的關係，我們還是要問：成年的動物也會自願和人類結交嗎？

我們大可直接了當地替家中寵物回答肯定；流浪貓或流浪狗簡直就是硬要賴上熱心照料牠的人的例子，也是多不勝數。然而，我倒比較想聽聽野生動物的答案，牠們不像寵物因為配種而變得溫馴，因而樂於親近人類。我也想要排除透過餵養馴服的情況。因為被餵養的野生動物不過是想要食物，所以可以在某種程度上容忍並習慣人類的存在。但是這有可能會變得多麼令人不堪其擾呢？我們以前的老鄰居，就曾在一隻小松鼠的身上體驗過。

他們曾經連續好幾個星期，都用花生米來引誘這個小傢伙，使牠終於願意靠近露台敞開的窗邊。對於這隻紅毛小客人的造訪他們滿心歡喜，幾乎把牠視為是家庭的一分子。不過最糟糕的來了，現在只要這人類活體飼料供應機就定位的速度不夠快，失去耐心的小松鼠就會開始猛抓窗框，於是不到幾個星期，他們的窗框就宣告報銷了——誰叫松鼠的尖爪利如刀刃呢！

野生動物與人類的友誼，似乎更常發生在汪洋大海之中，尤其是海豚。一隻作風很是特別的人氣明星方吉，就住在愛爾蘭的丁格爾海灣裡。方吉在公眾之前曝光頻繁，喜歡跟在出海的小遊船旁巡航，然後在遊客面前表演空中迴旋翻轉；這些行為使牠完完全全變成了當地觀光業的活招牌，連官方的旅遊手冊都以牠為賣點。即使是自行下到水裡想要接近牠的遊客也毋需擔心，這隻活蹦亂跳的大傢伙會陪你一起游泳，讓人享受超凡的快樂體驗。這樣的溫馴並不是基於餵食，因為牠拒絕了人們提供的食物。

方吉至今已經有三十多年不曾離開過城鎮生活。這聽起來不是很動人嗎？顯然並非每個人都這麼認為。《世界報》（*Die Welt*）的記者就曾經請教過科學家：這隻動物會不會單純就是「不太對勁」啊？說不定這個怪咖會這麼親近人類，只是因為沒有別的海豚喜歡牠？[6]

其實人類之所以會跟動物建立情誼，有時候也是出於類似的原因，譬如源自失去伴侶而油然生起的寂寞感。不過暫且略過這點，我想在德國本土的動物裡，繼續搜尋有沒有其他的案例。而這一點兒也不容易，野生動物的共同特徵就在於牠們是「野生」的，因此牠們通常不會尋求與人類親近；再加上幾萬年以來人類對動物的狩獵行為，讓牠們逐漸發展出對人類的畏懼——因為沒能及時逃脫的，就是死路一條。只要看一眼可以合法獵捕的動物清單，就知道時至今日，許多動物還是逃離不了相同的命運。不管是像野鹿或野豬這類大型哺乳類動物、體型較小的狐狸、野兔，還是從鴉科、雁鴨科一直到鶲科等各種鳥類，每年都有成千上萬的生命會終結在槍林彈雨之下；因此不信任所有長著兩隻腳的傢伙，完全是預料中事。然而不也正因為這樣才更美好？當對人類抱持著懷疑與防衛態度的生命，克服了戒備之心而尋求與我們接觸。

但是這種行為背後的動機會是什麼呢？以食物引誘應該排除，要不然我們無法得知牠的膽怯會不會只是被飢餓壓制了。不過動物其實就和人類一樣，除了飢餓還有另一種同樣重要的動力——好奇心。至少妻子米利暗和我，就曾經在芬蘭的拉普蘭地區偶遇過好奇不已的馴鹿。好吧！或許牠們算不上真正的野生動物，而是這裡的原住民薩米人（Samen）的財產；在他們要宰殺馴鹿或分類做標記時，會以直昇機或越野機車把這些動物驅趕集中在一起。即使如此，馴鹿還是保存了自己的野性，而且在面對人類時通常很害羞膽怯。

那是我們在瑞典薩勒克國家公園山區紮營的某一天，身為標準的早起的鳥兒，我每天都是第一個從睡袋裡爬出來的人。而這天我才稍微環視了四周令人屏息的原始自然山景，就突然意識到不遠處有個東西動了一下。那是一隻馴鹿！但一隻嗎？才不，後頭還有更多隻正從山坡上緩緩走下來；我立刻叫醒了米利暗，觀察這些動物的機會她怎能錯過？接下來這些意外的訪客在我們用早餐時愈聚愈多，直到最後把我們團團圍住——大約三百隻！那一整天，牠們一直都逗留在我們的營帳附近；其中一隻年輕的小鹿，甚至還大膽地來到離我們只有一公尺近的位置，就地躺在我們的營帳邊午休小憩了片刻。這一天，我們簡直宛如置身天堂！

不過藉由一小群健行者，我們還是看得出這些動物確實很羞怯。他們的出現促使這一大群馴鹿全面撤退，幸好不久之後，又重新回到我們帳篷的周圍。此外，我們也清楚地看到，其中有幾隻真的對我們非常感興趣；牠們睜大了眼睛，撐大了鼻孔試著研究我們，而這在我們看來，是整段旅程中最美好的體驗。這群馴鹿為何向我們表現出這種全然的信任，我們無從得知；或許與動物的朝夕相處，使我們的行為舉止都變得比較從容不迫，讓我們看起來也比較不具威脅。

在一個沒有狩獵活動的地方，每個人都可以隨時隨地體驗到與此相似的經歷。不管是在非洲的國家公園裡，在東太平洋的加拉巴哥群島上，或是在遙遠北方的苔原帶中，只要哪裡有動物不曾遭遇過人類不堪的對待，牠們就會容許人類非常靠近自己。偶爾也會有些個別的好奇寶寶，牠們純粹就想看看，那些在自己領域裡四處遊蕩的不速之客，到底是何方神聖。這樣偶然的邂逅特別讓人歡喜，因為它建立在雙方的自由意志上。

所以動物對人類是否存在著真實且心甘情願的愛？我們很難證明。即使小雞羅賓漢對我發展出這樣的情感，也是因為牠根本別無選擇。但反過來呢？人類對動物當然懷有愛，所有家裡養著小貓、小狗或其他寵物的人都可以確認這點。然而這種愛，又有著怎樣的質量？這些動物難道不是我們因為膝下無子、痛失伴侶或缺乏他人的關注，而作為彌補的反射或投射對象嗎？這個議題屬於地雷區，我事實避之唯恐不及。不過既然我們要討論動物的感受，我們也就不得不捫心自問：人類的關切與愛，為這些毛小孩帶來了什麼後果？

首先是我們讓動物「變形」了——這裡指的真的是外形上的改變。因為在狗與貓的配種策略上，人們早就已經不以配出對狩獵（不管對象是野兔、野鹿或老鼠）特別有用的幫手為目標。取而代之的是不論在性格上或外表上，都必須要吻合我們內心的需求和那種想要緊抱觸摸的感受。關於這點，法國鬥牛犬是個很好的例子。從前我總覺得牠們醜得出奇，也認為那短縮的大嘴，那頂出一堆皺褶且讓牠超級會打呼的塌鼻子簡直太礙眼；然而後來我認識了粗皮，一隻我們偶爾會幫忙照顧一下、有著深灰藍毛色的小公狗。牠立刻就攻占了我的心，而且牠是怎麼被配種出來的，突然之間也變得根本無關緊要——因為牠實在是太惹人憐愛！當五分鐘的撫摸對於其他狗兒已經足夠時，粗皮可以享受這樣的親密好幾個小時都不厭倦；只要一停下動作，牠就會用鼻子懇求地輕推你的手，同時用一雙圓滾滾的大眼望著你。牠最愛睡在主人的肚子上，然後舒舒服服地打鼾。

像這樣真的不好嗎？沒錯，這個物種原本就是要繁殖來當袖珍寵物犬，差不多就像活生生的絨毛動物玩具那樣。而這是否合乎法令，我一點都不想評斷；該提出的問題不如說是：在此同時這隻狗過得好嗎？經由配種技術現在牠擁有了高單位的「被撫觸需求」，再加上那不管是誰（真的是所有人！）看了都會想要立刻滿足牠這需求的長相，就這隻狗來說這有什麼問題嗎？毫無疑問地，牠的日子過得十分愜意，人類和動物各取所需。唯一讓這整件事情有點變了味的，是製造出這種需求的背景，也就是透過育種時基因的改變來精準地達成目的。

不過要是人們不重視動物的需求，不管這需求是天生或透過育種形成的，情況就必須另當別論。就像因為個人的愛好，而盲目把狗當成人一樣套上衣服，或者是經常會發生的，因為過度餵食、太少戶外活動，以及缺乏天候刺激（像雪中散步）所帶來的嚴重健康損害，而這最終，能把這些受到過度溺愛的狗兒折磨至死。

腦袋瓜裡的那道光

為什麼非要在情況未明時，就提出不利於被告的論述？

在更深入探索動物的情緒與靈魂世界之前，我們應該再花點心思來辯證一下：這一切的探索，會不會只是種荒謬且脫離現實的想法？畢竟至少依照目前科學上的理解，動物必須擁有特定的腦部構造才能夠「處理感覺」，就像我們體驗感覺一樣。

答案其實非常明確。對人類來說，這個構造就是大腦邊緣系統，它讓我們能夠體驗喜、怒、哀、樂等七情六欲，並與腦的其他部位共同作用，使我們的身體可以做出與情緒相稱的反應。[7]這個腦部結構在演化史上由來已久，因此許多哺乳類動物與人類一樣，也擁有這個構造。不管是山羊、狗、馬、牛、豬……這一列長長的名單，簡直族繁不及備載。而且不只是哺乳類動物，是的，連在發展程度上被生物學家認定較為低等的鳥類，甚至是蛙類，根據最新的研究都榜上有名。

科學家在對水生動物進行痛覺研究時，連帶觸及了情緒的相關領域。事情的起因在於他們想知道，魚兒上鉤時到底能不能感覺到魚鉤所造成的傷害？這個我們聽起來或許理所當然的事，長久以來卻一直被認為不可能。不管是看到漁船拖網作業影像裡一張張拖過甲板的網，裡面塞滿了活生生卻會逐漸窒息而死的海洋生命；或是看到懸掛在釣客彎弓般的魚竿上，正在奮力垂死掙扎的鱒魚，人人都不禁要問，我們的社會，為何能夠在面對當前保護動物議題的同時容忍這樣的事？或許事情背後隱藏的，常常根本不是惡意，而是這個從未被證實過的假設：魚是一種遲鈍的生物，牠們只不過是麻木無知地在河流裡和海洋中隨波逐流、浮沉漂蕩。

然而任職美國賓州州立大學的布利斯維特（Victoria Braithwaite）教授，卻有全然不同的發現。早在好幾年前，她就已經在魚的嘴部定位出二十多個痛覺受體，它們分布在魚鉤通常會穿透的部位[8]——噢，痛！不過這或許也只是證明了，一隻遲鈍的生物具有感受痛覺的可能性。因此布利斯維特教授進一步地以針尖刺激魚的這些區域，並且在「端腦」引發了反應，那裡恰好也是人類處理疼痛刺激的部位。以這種方式，她證明了魚類也會因為受傷而受痛苦折磨。

那麼，情緒呢——譬如說恐懼？就人類而言，恐懼感產生於我們腦部一個名為「杏仁體」，或稱「杏仁核」的部位，雖然長久以來就有人這樣猜測，但卻在不久前才為人知曉。二〇一一年一月，美國愛荷華大學的科學家公開了一份一位化名SM的女性的研究報告。在她腦部杏仁體的細胞因為一種罕見疾病而逐漸死去之前，ＳＭ對蜘蛛和蛇一直懷有莫名的恐懼感；她的遭遇自然不幸，但研究者卻也因此得到了一個千載難逢的機會，可以研究這個器官衰敗後對人體的影響。他們隨ＳＭ女士來到一家寵物店，在那裡與她一向的恐懼來源正面相對；與過去的反應恰好相反，現在她不僅敢觸摸這些動物，根據自述她當下甚至只有好奇的感覺，完全不再感到恐懼。[9]於是掌管人類恐懼的部位，就這樣順利地定位了出來。但是魚類呢？

西班牙塞維亞大學（Universidad de Sevilla）的加西亞教授（Manuel Portavella García）與團隊，就在至今還沒有人試著找過的部位，也就是魚腦的外側區域，發現了可與人腦相提並論的組織（我們的恐懼中樞則是位在大腦最下方內側）。對此他們訓練了金魚，讓牠們學會在一盞綠燈亮起時便立刻逃離水族箱內特定的角落，如果不這麼做，就會遭受電擊。隨後研究人員再讓魚腦的一部分，也就是端腦進入麻痺狀態，這裡相當於人類的恐懼中樞，將它關閉的後果與發生在人類身上的情況一模一樣：金魚之後對亮起的綠燈視若無睹且毫無懼意。對此研究人員的結論是，魚類與陸生脊椎動物從牠們共有的祖先那裡繼承了相同的腦部結構，而這些祖先至少在四億年前就已經存在。[10]

由此看來，其實所有的脊椎動物早就具備有感覺的「硬體」，然而牠們因此就真的能與我們有類似的感覺嗎？許多證據顯示確實如此。例如魚類身上甚至也發現了催產素，這種荷爾蒙就人類來說不僅可以增強女性為人母的愉悅感，也可以鞏固對伴侶的愛。魚的快樂與愛？我們或許還無法在可預見的未來裡印證這點，但是為什麼非要在情況未明時，就提出不利於被告的論述？學界不也是長久以來一直反對動物具有感受，直到他們再也無法繼續否認。為了安全起見，我們不是應該採取另一種論調，使動物免於不必要的折磨？

在前面幾章，我特意將人類如何體驗感受的過程描寫出來，因為或許只有這樣我們才能初步理解，動物的腦袋瓜裡到底在想些什麼。不過即使牠們大腦的結構不同於我們，而這點不同可能又意味著另一種體驗的方式，也並不代表牠們從根本就無法感受。只不過要我們設身處地於其他物種的狀況當然比較困難，譬如說果蠅，牠們的中樞神經系統是由二十五萬個細胞組成，在數量上只有人類神經系統的四十萬之一；像這種腦袋容量極其有限的微小生物，真的可以有絲毫的感受，或甚至具有意識嗎？有關意識的問題可能已經涉及了這門知識的最高領域，可惜在真正找到最終答案之前，學界可能還有很長的一段路要走。會有這種現象的一大原因，就是未能精準地定義「意識」一詞。我們大可把它想像成「思考」，好比我們會思索經歷過的事或閱讀過的內容，就像現在，你正思索著這書頁問的內容，所以此刻的你是具有「意識」的。然而像這樣有關意識的先決條件，居然也在只有超迷你腦容量的果蠅身上發現了。

和人類一樣，這些微小的生物每分每秒都必須面對無數湧入的環境刺激。不管是玫瑰的香味或汽車的廢氣，是日照的光線或是一陣風……，所有這些，都會在牠們不同且不相互協調的神經細胞裡記錄下來。然而果蠅到底是如何從這洶湧似潮水的刺激中篩選出最重要的訊息，使牠不至於忽略任何危險或錯過一頓特別美味的大餐？牠的腦會處理訊息，負責使不同腦部區塊同步運作，然後藉此強化特定刺激的訊號。如此一來，有意思的現象就可以從千百個只留下一般印象的干擾中突顯出來，果蠅因此也可以將注意力集中在特定的對象上——就和我們一模一樣。

因為動作快如閃電，每秒鐘都有數不清的影像會掠過這隻小昆蟲的眼簾；而牠的眼睛，是由六百個左右的小眼面所組成的複眼。這個數量乍聽之下似乎很難應付，卻是果蠅的生存利器：因為所有會動的東西，都十分可能是胃口大開的天敵。牠的腦因此得以讓靜止不動的畫面變得模糊，只把那些帶著動態目標物的畫面變清晰。我們或許也可以這樣說：這個小東西完全只專注在重要的事情上——一種微不足道的生物具有這樣的能力，肯定許多人都難以置信。其實人類也有類似的處理方式：我們的腦也不會讓映入眼簾的所有影像都進入意識之中，只有那些具有意義的畫面才會被特別處理。

所以說，蒼蠅擁有意識嗎？目前的研究似乎還不想扯得這麼遠，但是牠能主動操控注意力的能力，至少已經是毋庸置疑。[11]

再回到不同物種間的腦部結構差異的主題。雖然即使較低等的脊椎動物都已經具備了基本的器官，但要能夠真正像我們一樣體驗感受，這還不夠。我們會不斷地讀到這種理論，只有透過像人類這樣的中樞神經系統，才能感受得到強烈的與有意識的情緒——而這裡強調的是「有意識」這三個字。人類的思考器官，就位在大腦新皮質最上層的皺褶裡，從發展歷史來看，新皮質是腦部最年輕的組織；我們的知覺與意識都從這裡產生，這裡是思考行動的起跑點。人類的腦在這個部位的細胞數量比其他物種多，因此所謂萬物之靈的冠冕，我們其實是戴在頭蓋骨之下。所以，如果說這個星球上的所有其他生物，都只能感受到較少的情緒，也無法像人類那樣聰明，這也是合理的，不是嗎？舉例來說，德國第一位釣魚學教授亞林豪斯（Robert Arlinghuas）就從中開展了他的論點。在一次與《明鏡週刊》（*Der Spiegel*）的訪談中他強調，因為魚的腦部缺少新皮質，根本不可能有意識地感受，所以魚鉤所造成的傷口很難讓魚像人類一樣感受到疼痛。[12]姑且不論對此看法還存有異議的其他學者（見本書64頁），這聽起來其實更像是為了合理化自己的嗜好所找出來的說辭，並非客觀謹慎的科學評估。

《明鏡週刊》同樣也報導了，每當聖誕時節來臨，美味的甲殼類動物要被端上桌時，有些饕客也會提出類似的論點。[13]這類動物裡最具代表性的非龍蝦莫屬，上菜時奉上一大托盤的龍蝦，帶著煮熟後鮮紅華麗的色彩，一直是種身分地位的象徵；然而人們送牠下鍋時，牠卻常常還是處於活生生的狀態。相對於依照規定，料理脊椎動物之前必須先將其宰殺，我們卻任意地把這些蝦兵蟹將丟入冒著滾燙熱水的鍋子裡，連最基本的先讓牠們失去意識都沒有。這整個過程可能會持續幾分鐘，直到高溫讓牠的身體由外而內地完全熟透，然後摧毀掉牠敏感的神經結功能。牠會感覺到痛嗎？怎麼會？甲殼動物又沒有脊椎，當然也就不會痛——至少人們是這麼認為。牠的神經系統與我們的構成方式不同，相較於擁有骨骼的物種，也更難證明牠具有痛覺；有些專為食品工業發聲的科學家甚至還宣稱，這些動物如果會有任何反應，那也只不過是種反射動作。

北愛爾蘭貝爾法斯特女王大學（Queen's University Belfast）的艾爾伍德（Robert Elwood）教授就反對這樣的說法。他認為，如果只因為甲殼類動物的身體構造與我們不同，就否認牠也可以感受到疼痛，那就好像認定牠因為沒有視覺皮層（人類的腦部區域之一），所以肯定也看不見一樣。[14]此外，即使是反射行為也可能讓人痛苦難當，牧場邊的電圍籬可以輕易印證這點：當我們的手有意無意間觸摸到這條線，並且隨即感受到電擊，不管願不願意，手都會在瞬間自動彈開。這純粹就是反射動作，完全不經任何思慮，然而觸電的感覺還是會讓人痛苦難忘。

難道這世上真的只有一種方式，而且就是人類這一種可以體驗到強烈的、也許是「有意識的」感受嗎？演化並非像我們有時候所想的（或甚至是希望的？）那麼片面，而向我們證明通往清明智慧的路並不只有一條的，正好就是那些腦容量常常真的很有限的鳥類。牠們被視為是恐龍的後代，而且自恐龍的年代以來，在演化的路上就與人類大相逕庭。鳥類的腦完全不具備新皮質，但仍然可以在才智上達到很高的成就，關於這點我稍後會再詳述。一個叫做「背側室嵴」（DVR）的部位接收了與我們大腦皮質相似的任務與功能，不同於人類新皮質是一層一層建構起來，鳥類的這個部位是由小型塊狀組織構成，而也正因為這點，加深了人們長久以來對它是否真的具有類似大腦功能的懷疑。[15]今日我們終於明白，烏鴉和其他某些社會性很強的物種在才能和心智上的表現，不僅能夠達到靈長類動物的水準，在某些部分甚至還有過之而無不及。再再證明了學界在面對不確定案例時，論點總是會過度謹慎保守，也就是只要牽扯到動物的感悟力，在尚未得到確立的反證之前，他們就拒絕承認動物可能也具備許多心智能力。難道就不能直接了當地承認（而且這也才正確）「我們不知道」嗎？

在結束這一章前，我還想介紹一種住在我們森林裡的生物，如果要以最寫實的字眼來描述，這種生物根本連頭都沒有！有時候你可以在腐朽的木頭上找到「它」，化身為一小片略有高低起伏的黃色地毯，看起來簡直就是真菌。等一下，這本書裡我們討論的不都是動物嗎？沒錯，問題是到底該如何將這種真菌分門別類，學界本身也尚未確定。事實上即使要辨明一般的真菌都已經夠困難了，因為它既無法歸於動物，也不屬於植物，只能獨立於這兩大分類之外，自成一個第三王國，也就是真菌界。和動物一樣，真菌以其他生命身上的有機質為生；此外它的細胞壁由甲殼素構成，這點與昆蟲外殼的成分一樣。而剛才提到的黏菌，也就是那種會在朽木上長成一片黃地毯的生物，它甚至能夠移動！就像有著果凍般身體的水母一樣，即使把它暫時保存在玻璃罐中，它也有辦法連夜逃走。而在此同時，科學家也已經把它從真菌界裡除名了，如此一來「它」向動物界又更靠近了一步——歡迎光臨本書！

因為這在研究者的眼中實在太過有趣，有幾種這樣的黏菌變成了實驗室裡的常客。例如有著一串又臭又長拉丁學名的「多頭絨泡黏菌」（*Physarum polycephalum*），就是其中一個熱愛燕麥片的候選人。它基本上是一種有著無數細胞核的巨大單細胞生物，研究人員曾把這隻黏乎乎的單細胞生物放進一座迷宮，在迷宮兩個出口的其中之一放著燕麥片當作獎賞；這隻黏菌讓自己在迷宮的通道裡伸展開來，然後在經過了一百個多小時之後找到了正確的出口——終究還是找到了！

它顯然會參考自己留下的黏液痕跡，藉以避開走過的路線，因為經驗顯示此路不通。這個策略在自然界裡絕對實用無比，因為生物可以從中得知，牠在哪些地方搜索過食物，最終卻一無所獲。所以即使沒有頭腦，要破解一座迷宮也並非難事！而這已經是值得大書特書的成就。

有些研究者甚至因此主張這個外型扁平的傢伙，擁有某種空間記憶的能力。[16]而日本學者更是登峰造極，他們以東京的交通幹道為雛型做出了一座迷宮，都市的重要區域則做為出口，並放有食物以引誘黏菌。於是這隻置身在迷宮裡的黏菌啟程了，當它用最理想且最短的路線把不同的出口連結起來之後，結果還真是令人嘖嘖稱奇：黏菌移動路線所構成的圖，竟與這個超大都會區的通勤電車路網不謀而合！[17]

這也是為什麼黏菌的例子會深得我心。因為它顯示了黏菌是如何不費吹灰之力，就讓我們把一些對於原始生命、對於既蠢笨又遲鈍的動物的成見拋諸腦後。可惜在前面幾章提過的基礎理論上，我還沒找到這樣奇特的生物來做例證。但是如果連單細胞生物都可以擁有空間記憶的能力，足以應付像找出最有效率路線這樣複雜的任務，那麼有著二十五萬個腦細胞的動物，也就是之前已經粉墨出場的果蠅，身上又可能隱藏著多少未知的能力與感受力呢？引伸而言，在身體及腦部結構上與我們又更相似的鳥類及哺乳類動物，如果要說牠們具備和人類一樣的七情六欲，也就不足為奇了。

你這隻笨豬！

如果大家都清楚自己盤子裡裝的是怎樣的一種生物，只怕許多人都要胃口盡失。

家豬可追溯至野豬，而我們的祖先早就把野豬視為珍貴的肉類食物來源。為了要更迅速且不必經由危險的狩獵來得到這種美味，人類大約在一萬年前馴化了野豬；並且為了更加滿足我們的需求，也一直在改良豬的物種。即使如此，這種動物至今還是保留了許多原有的行為特徵——尤其是牠的聰明才智。

我們不妨先來關注一下野豬，看看牠們都在做些什麼。譬如說，野豬可以準確地認出自己的親屬，連遠房親戚也沒問題；德勒斯登工業大學（TU Dresden）的研究人員在針對野豬族群的活動領域進行研究時，就間接證實了這點。在這項計畫中，透過以陷阱捕捉或麻醉槍暫時麻醉的方式，研究人員得以在一百五十二隻野豬身上裝上訊號發射器，然後再將牠們釋放。如此一來，研究人員便能夠好好觀察，這些喜歡夜行的傢伙到底都在哪些地方遊蕩。

兩個相鄰野豬家族的領域空間，通常很少會相互重疊，平均每個大約只有四到五平方公里大，比我們過去推測的要小得多。野豬標示領域的方式，是在邊界的樹上留下記號——先是一場痛快的泥漿浴，然後在樹幹上摩蹭以留下自己的體味。不過因為這種標記並非連續不斷，所以邊界的畫分並不明確，偶爾有陌生的野豬闖入也是難免。與不認識的同類狹路相逢經常會引發激烈的衝突，連野豬自己都寧可避免這種狀況；因此在不具親屬關係的兩個野豬家族之間，邊界傷害事件其實相當罕見。反之，如果兩個具親屬關係的家族活動空間相鄰，牠們領域最高可能會有百分之五十那麼多的部分重疊，顯然就算是遠房親戚，相處起來還是會比陌生人友善得多。最重要的是：牠們可以清楚地區分兩者的差異。

通常前一年出生的小野豬，也就是獵人們所謂的「Überläufer」（指一到兩歲間的野豬），在下一批新生代降臨之前，便會面對遭驅趕的命運，因為母豬之後再也沒有時間來照顧這些相對年長且相當自主的青少年。這群離家的兄弟姊妹，為了要繼續留在團體裡生活，會加入一個成員多與自己有著相同遭遇的家族。野豬的社會性很強，最喜歡互相幫忙清理對方的身體或是彼此親暱地窩在一起。倘若日後這個由離家少年所組成的家族與自己的原生家族再度相遇，可能又會各自帶了一隊新生的小野豬，場面鐵定是一團和氣，因為牠們不僅仍然認識對方，彼此也維持著親切的好感。

我也常盯著家裡的動物思考這個問題：不管是山羊或兔子，牠們有沒有辦法在一群同類中，認出自己已經長大的孩子？根據我自己的觀察，答案顯然是肯定的，唯一的前題是不能把牠們分開。因為只要有好幾天不待在同一個畜欄裡，接下來牠們就會將對方當成陌生人對待。難道牠們的長期記憶體不能存取親屬關係嗎？至少在這方面，野豬及可能也是如此的家豬，顯然就和山羊或兔子不一樣，即使過了很久，牠們都還是能清楚記住誰跟自己有親戚關係。令人嘆息的是，家豬很少有機會用到這種能力，牠通常都早早與父母親分開，並且在一個大家都同齡的群體裡長大，甚至活不過自己生命中的第一年。

至於豬其實特別愛乾淨，如今可說已是眾所皆知。牠尤其喜歡到固定的處所，解決自己所有的大、小方便事；而且這個處所，絕對不可能就在牠的巢穴內——誰會想要睡在臭烘烘的床上！這點幾乎不管是野豬或家豬都一樣，因此當我們在一些大規模飼養業的豬舍照片上，看到一格格極其狹隘的畜欄（每隻只能分到一平方公尺大！），以及裡頭全身髒兮兮的豬隻時，應該可以想像牠們會有多麼不舒服。

野豬會根據天氣與季節調整自己睡覺的地方，其實就牠來說，床的位置當然最好一直都保持不變，因為這畢竟是牠費盡心思才選中的窩。不過要是擾人的風雨打了進來，野豬就會移動到較能避風且較為乾爽的森林裡睡個好覺。夏天時，要是能在森林裡找到光禿禿的地面，那就是牠的最佳床墊，因為這時節的氣候對牠而言總是太暖。在冬天時，牠會把夜晚休息的地方安頓得特別妥當，如果可以在既茂密又避風的黑莓灌木叢裡找到一個舒適的小窩，而且最好只有兩、三個像隧道一樣的隱密入口能夠與此相通，那就再好不過了。牠會帶進一堆乾草、落葉、苔蘚及其他具有舖棉效果的材料，然後細心地把它們堆成一個舒適暖和的床墊。

我剛才說了「夜晚的休息」吧？當我們夜晚在舒服的床上沉入夢鄉時，野豬自然也想好好地睡上一覺，然而這種聰明的動物，卻因為人類改變了自己的作息。在德國，獵人每年最多可以射殺六十五萬隻野豬，[18]而這樣的獵捕行動需要白晝的光線；於是為了要避開追捕者，野豬只得利用夜色為掩護來活動。其實這樣的防護通常也已經足夠充分了，因為在黑夜裡射殺動物是不被允許的。是的，「通常」是如此，不過野豬卻是個例外，為了至少能夠在某種程度上控制牠們泛濫的數量。也因為夜視裝備還是禁止的，獵人於是必須等待滿月及好天氣時，才能把林間空地上的獵物看清楚，而不是眼前一片模糊陰影。

用來吸引野豬的誘餌通常是野豬最愛的玉米粒。獵人打的如意算盤，是在牠們吃著誘餌時來個致命的一槍；然而，要讓聰明的野豬上當可沒有那麼容易，牠們會乾脆把夜晚的活動延後到下半夜。不過魔高一丈，狩獵產業也準備了「野外時鐘」來因應。這是一種一經觸碰，時間就會自動停止的鬧鐘，獵人把它放在一堆玉米粒間，一有野豬來光顧，就會馬上知道。獵人只要爬上狩獵台好整以暇地等候，不用多久獵物就會自動送上門來。

不過總結來說，野豬似乎還是贏了這場戰爭。牠們利用誘餌作為一部分的主食，即使被大量獵捕還是可以快速地繁殖，於是許多試圖削減野豬數量的計畫，在此同時幾乎可以說是失敗了。

許多特別觸動人心的研究成果，其實是在家豬身上發現的，原因很簡單，因為有好幾個不同的學科，都致力於研究如何改善大規模飼養動物的現況。維也納大學獸醫系的鮑姆加特納（Johnannes Baumgartner）教授，在《世界報》問到他所觀察研究的對象裡是否有比較不平凡的角色時，提到了一隻老母豬。這隻母豬一生不僅孕育過一百六十隻小豬，還教會了牠們如何用麥桿做巢。而且當牠的女兒長大成熟後，這個老而彌堅的豬媽媽，還如同助產士般協助牠們待產。[19]

但是，既然學術界對於豬的聰明才智已經所知甚多，為什麼這種鬃毛動物的聰明形象在公眾之間並不怎麼普及呢？我猜這與我們對豬肉的消費脫離不了關係。想想如果大家都清楚自己盤子裡裝的是怎樣的一種生物，只怕許多人都要胃口盡失。類似的情況其實從靈長類的例子就可以得知：會有誰想吃猴肉嗎？

感激之情

真正的感激，難道不是一種對生活所抱持的行為與態度嗎？

不管是迫於情勢或是出於自身的願望，是心甘情願還是莫可奈何，我們幾乎可以認定，動物對人類確實抱持了某種愛（反過來說，人類對動物的愛當然更是強烈）。在我眼中，與愛相當接近的是「感激」，而動物肯定也擁有這份情感。如果你剛好養了一隻這樣的狗：牠在暮年時才來到你家，並且在那之前曾經歷盡滄桑，就一定能證實這點。

可卡獵犬貝瑞九歲時才來到我家。其實在之前養的明斯特蘭犬馬克西過世之後，我們原本是再也不想養狗的。是的，只是原本。在米利暗堅決反對再增添任何新成員的同時，女兒卻試著想要說服我們改變主意；在我這裡她比較少吃到閉門羹，因為老實說我也無法想像沒有狗兒的生活。因此當她和我開著車到附近一個農業用品大賣場裡的秋收市集時，我們彼此心裡都很清楚，有些事可能就要發生了！

在市集的眾多攤位中，恰好有奧伊斯基興市的動物之家；而他們設攤的主要目的，就是要主動出擊來吸引訪客，最好能把收容的動物立即轉介出去。不過女兒和我起初其實失望透頂——他們一直展示出兔子，這我們家裡已經有了呀！為此我們幾乎一整天都在現場等著，也不知道在那些攤位之間來回轉了多少次，而現在可好了，居然沒有狗！不過在活動快要結束時，終於有人宣布了，有一隻即將進入動物之家的貝瑞，負責介紹牠的是牠的現任主人。「這隻公狗應該是很容易相處的，搭起車來幾乎從沒問題，還有也結過紮了……」聽到這些我們的心跳加速，真是太棒了！我們簡直是從長凳上跳了起來，並且立刻向前表達意願；在一小段散步體驗，再加上同意我們可以有三天測試期的握手為定後，我們就立刻閃人，載著貝瑞一路直奔胡默爾鎮的家了！

三天的試驗期對我們很重要，因為米利暗還被蒙在鼓裡。那天她很晚才赴完一個約回來，當女兒開口問道「妳一點都沒注意到什麼嗎？」，她還正在脫外套。我太太環顧了四周然後搖了搖頭，「看看妳的腳邊！」我催促著她，不過在那一瞬間她也已經這麼做了——貝瑞正搖著尾巴抬頭望向她，從這一刻開始，牠闖進了米利暗的心，並且終其一生再也沒有離開。

這隻狗是充滿感激之情的，感激自己之前那種漂泊不定的奧德賽生活終於劃下句點。牠的主人是位罹患失智症的老太太，不得已才把牠送走，之後牠又輾轉到過兩個不同的家庭，直到在我們這裡找到了最後的歸屬。貝瑞雖然一直都缺乏安全感，思索著是不是又要經歷另一次變動，但是除了這點之外，牠始終都是愉快且友善的。這純粹就是感激，不是嗎？

然而我們要如何測量或者定義感激之情？這兩者幾乎具有同樣的難度。只要到網路上搜尋瀏覽一下，就會發現充滿爭議性的見解比具體的看法要多得多。有些動物之友似乎認為感激之情是可經索求得來的，主人因此期待寵物會如此回應牠所得到的關愛。如果真要這樣理解，那我應該完全就不會想在動物身上尋找感激之情，因為這種表達形式不僅可能變得太過卑躬屈膝，還帶著一絲負面的含意。

其實從本質上及人類的角度來看，大多數的定義都指出了一點：感激是一種基於令人愉悅的事而產生的正面情緒，是由某些事物或他人所促成。因此要產生感激之情，人必須要能認知到對方做了對自己有利的事。古羅馬時期的政治家與哲學家西塞羅早就盛讚過懂得感激是最大的美德，他並且認為狗也具有這種能力。不過根據這樣的理解，情況會變得有點棘手，我要如何才能發現一隻動物有沒有「認知」到，是誰或者是什麼促成了這件讓自己高興的事呢？

與單純只觀察到喜悅本身（這在狗身上很容易看出來）不同的是，現在還要找出使牠高興的原因。不過這點就動物來說還滿容易確認的，比方說那或許就是食物。動物對於進食總是興高采烈，而且牠很清楚地知道，是誰讓牠的缽裝滿了食物。小狗就經常會懇求主人，趕快再把食物裝滿，不過這真的是感激嗎？這種行為也可以看作是乞討。

而真正的感激，難道不是一種對生活所抱持的行為與態度嗎？人不是也可以放棄總是想要得到更多的貪欲，在一些日常小事裡找到快樂嗎？如此看來感激是對於客觀環境感到快樂與滿足的一種共同體現，只不過客觀環境並不是我們自己有能力決定或承擔的。而動物身上是否存在這種感激？可惜還無法得到證實，對於另一種生命的內心活動我們最多只能約略揣摩。不過至少家人和我都十分肯定，貝瑞能在我們這裡找到牠最後的歸屬，牠既滿足且快樂，即使這個看法並沒有科學證據來支持。

詐騙集團

這些小伎倆都是動人的，正因如此動物的內心世界才會這麼豐富又多樣！

動物會說謊嗎？如果廣義地理解「說謊」這個詞，的確有不少動物是做得到的。譬如說身上有著和黃蜂一樣黑黃相間條紋的食蚜蠅，就以讓人相信自己不是那麼好惹的方式「欺騙」了牠的天敵。不過食蚜蠅當然不會意識到自己擁有這種高明的騙術，因為對此牠畢竟沒有任何積極的貢獻，只是天生就長成這副樣子。德國本土的孔雀蛺蝶也是如此，會用翅膀上巨大的眼狀斑點嚇唬牠的天敵，發出這裡的「大」獵物可不容小覷的信號。不過，讓我們暫且撇開這種被動式的詐騙案，來看看誰才是真正機靈狡猾的老千。

比方說我家的公雞費多林，就會是個最佳候選者。牠體型福態且全身雪白，完全就是澳洲黑雞白色種的最佳代言人。費多林和兩隻母雞一起共享一百五十平方公尺大、兼俱防狐狸與蒼鷹設施的戶外空間。兩隻母雞其實已經完全能滿足我們對雞蛋的需求，然而費多林對此卻有截然不同的看法。這麼一小撮異性並不足以讓牠充分展現雄風，牠的性能力要再應付兩打情人也都還綽綽有餘；但是如今逼不得已，只能把全部的愛都集中在蘿塔和寶莉身上。

兩隻母雞對於這種無止境的交配攻擊不堪其擾，因此只要費多林準備好要做出那決定性的一躍，在雞圈裡的牠們就避之唯恐不及。然而費多林卻總還是有辦法得逞，牠會跳到母雞背上，展開雙翅以保持平衡，在此同時還會揪住已經被壓制在地上的母雞的頸部羽毛，極度興奮時甚至還會把它們扯掉，接下來牠會把泄殖腔壓在伴侶身上，迅速射精。當這不過幾秒鐘的行動結束後，母雞會起身抖抖羽毛，享受一小段至少可以不受干擾好好進食的時光。然而費多林的性趣總是來得很快，可是總是沒人有興趣奉陪，於是雞欄裡又會開始上演一場對牠來說有點費力的你追我跑情境劇。通常總要等到公雞追得精疲力盡，場面才終於可以稍微平靜一些。

不過要達成目的，其實有也輕鬆一點的途徑。費多林平常是個標準紳士，總會讓牠體型嬌小的妻妾優先進食；而且一旦發現有好吃的，牠就會開始用一種特別的聲調咕噥咕噥叫，蘿塔和寶莉聽到後就會立刻朝美味撲來。然而費多林的腳下，有時候根本什麼也沒有，這隻公雞純粹就是厚顏無恥地撒了謊！等待著母雞的不是令人垂涎的蟲子或特別的穀粒，而是再一次的求愛。這一招在母雞措手不及的剎那經常可以成功，不過如果使用得太頻繁（在只有兩隻母雞的情況下不消幾次也夠了），即使之後真的發現了食物，母雞也會保持戒心不再輕易上當。放羊的孩子畢竟很難再得到大家的信任……

還有一些其他的鳥類其實也很擅長哄騙撒謊，譬如說燕子。當公燕子回到巢穴見不到母鳥時，會突然發出一種警戒的鳴叫，聽到這警告的母鳥會誤以為路上有危險，便會抄捷徑趕快飛回家。這個由公鳥製造出來的假警報，目的是要避免母鳥趁牠不在時有不忠的機會。不過這種疑慮通常在母鳥下了蛋之後就會消失，誆人的警報聲自然也就不會再響起。

德國本土的鳥類王國裡還可以提供更多詐騙案例的，就是分布極廣的白頰山雀，牠們之中完全不缺技倆高超的撒謊精；特別是只要牽涉到食物，大家就會各憑本事爭先恐後。這種小腦袋上黑白相間的漂亮鳥兒，擁有一種精確巧妙的語言，可以互相告誡對方嚴防敵人。雀鷹是牠們的一大天敵，是一種體型較小、長得有點像蒼鷹且偏好到花園獵食的猛禽。不管是麻雀、知更鳥或山雀，雀鷹都能迅雷不及掩耳地將牠們攫走，然後帶到下一片矮樹叢中慢慢享用。

當白頰山雀遠遠看到危險即將來臨，會發出一種高音頻的聲響來警告同類，因為這種高音雀鷹聽不見，整個山雀家族得以不動聲色地移到安全的地方。反之，如果猛禽的威脅已經迫在眉睫，這個警報則會以低音頻發出；此時不僅所有的白頰山雀都知道了雀鷹的攻擊就在眼前，連攻擊者本身都可以從這偏低的一聲「累噓——」中立刻得知，自己預謀的突襲行動已被視破。而一旦白頰山雀產生了警覺心，雀鷹便經常就會無功而返。不過這個效果絕佳的共同預警系統，卻被一些山雀厚著臉皮利用了；在發現特別美味的食物或是其數量僧多粥少時，這些小撒謊精同樣會發出大家都很熟悉的警報聲。如此一來大家便會立刻尋找安全的掩護——幾乎所有鳥兒都一哄而散，騙子就可以不受干擾地大快朵頤，獨享美味！

至於出軌的行為呢？對配偶不忠自然也是某種型態的欺騙，不過這項罪名，只在騙子清楚自己的行為時才能成立。在公喜鵲身上，這點正好展露無疑。這種全身只見黑白兩色的美麗鳥兒屬於鴉科，對城市居民來說簡直是頭號公敵——牠會攫走其他鳴禽的雛鳥來餵養自己的後代，在這點上牠與前面我所提過的松鼠，還真是同一陣線的好兄弟。我喜歡這樣想像：假若喜鵲也是瀕臨絕種的鳥類，牠的現身該會讓我們有多麼喜悅，牠那閃耀著藍綠光澤的黑色羽衣又會多麼讓人讚嘆驚豔……可惜事實上許多人卻無法待見這種美麗的鳥兒。

回到出軌這個話題，與其他鴉科鳥類一樣，喜鵲能夠建立一輩子的配偶關係。牠會與伴侶讓自己在一方天地裡過著舒適的日子，而這同樣也會維持許多年。面對侵門踏戶的同類牠們會激烈地抵抗，理由十分明顯，因為彼此都想避免對方出軌。只有在下完蛋之後，也就是當傳宗接代的大事基本上已經完成，這種對領域界線的熱切關注才會明顯減弱。不過其實在這之前，有些行動看起來就已經相當惺惺作態了——至少公鳥就是如此。相較於母鳥對闖入的競爭者總是非常積極地猛烈驅趕，牠的伴侶卻是一個機會主義者。當母鳥在一側旁觀或者就在聽得到的範圍內時，公鳥確實會起身趕走飛進來的雌喜鵲；可是在認為沒人看得見自己時，牠就會向新來的美人兒熱烈大膽地獻起殷勤來了。21

相較之下，有些生存策略在動物界中並不能算是一種欺騙，即使我們偶爾在媒體報導中會看到這樣的說法。例如在報導中狐狸就被認為與孔雀蛺蝶的例子不同，因為牠可以「有意識」地存心詐騙。狐狸會裝死，有時甚至會逼真到讓舌頭垂掛在嘴邊，而這其實是牠獵食策略的一部分。

試想如果四界開敞的地面上躺著一具死屍？自然界裡少不了對此有濃厚興趣的清除者，特別是鴉科鳥類。牠們樂意享受任何送上門來的肉排大餐，即使是已經有點發臭。不過在狐狸的例子裡，這塊送到嘴邊的肉還得很新鮮——簡直是太新鮮……正當我們穿著一身黑羽衣的客人想要開始大快朵頤時，會發現自己突然就困在狐狸萊納克*的利齒間，反而變成了牠的盤中飧。22這種演技完全是大師等級，而且毫無疑問是一種製造假象的高明偽裝，但無論如何卻還稱不上

——譯註——

* 德文中所稱之狐狸萊納克（Reineke），即一般所稱之「列那狐」（Reynard the Fox），是中世紀日耳曼地區以動物為主人翁的民間故事角色，常被描繪成腦筋機靈、奸詐詭譎且自私自利。這些故事在歐洲許多地區流傳且經過多次的演變改寫，迄今仍廣受人們喜愛，連德國大文豪歌德（Goethe, 1749-1832）都曾寫過《狐狸萊納克》。

是招搖撞騙。因為欺騙指的通常是為了自身利益，而提供給同類成員錯誤訊息的行為。狐狸只不過是依循了一種特別精明狡猾的獵食策略，但這在道德上並非不正當。與我家的公雞費多林或者膽敢不忠的喜鵲不同，牠們才是存心欺騙自己身邊最親近的同類。

然而即使是道德上的不正當又怎樣呢？至少在我看來所有的這些小伎倆都是動人的，正因如此動物的內心世界才會這麼豐富又多樣！

捉住那隻賊！

只有當相對應的社會行為不利於自己的同類時，偷竊的罪行才算成立。

如果說謊對動物來說已經毫不稀奇，那偷竊呢？想要在這方面有所斬獲，大概就得先從那些社會性較強的群居動物觀察起。因為與說謊一樣，偷竊也涉及一種道德評價，也只有當相對應的社會行為不利於自己的同類時，偷竊的罪行才算成立。

來自美洲的灰松鼠，在偷竊這方面就很是精明。不過我們首先想知道的，是這種動物至今造成了怎樣的後果。其實牠對歐洲本土的紅松鼠（有時為棕黑色），可說已經成為一種真正的威脅；一八七六年時，英格蘭柴郡一位名喚布羅克赫斯特的先生，出於同情放生了一對被關起來的灰松鼠，然後在接下來的幾年中，不少喜愛動物的人也群起效尤。而這些重獲自由的灰松鼠感謝人們的方式，就是回報以勤奮的繁殖。太過勤奮了，使牠們在歐洲的這些紅毛親戚，幾乎要陷入滅種的絕境。灰松鼠的體型更大更強壯，不管是在闊葉或針葉樹林裡，牠們都能夠如魚得水地適應良好。不過對歐洲本土種松鼠更加致命的，是搭著灰松鼠的便車一起移入的不速之客——一種松鼠天花病毒。相較於北美灰松鼠對這種病毒已經普遍免疫，被感染的歐洲紅松鼠卻會像生如朝露的蚊蚋一樣大量死去。更令人氣惱的是，一九四八年時義大利北部也加入了放生松鼠的行列，自此之後，灰松鼠的族群就一路往阿爾卑斯山的方向推進。牠們會不會有天終於成功地翻山越嶺，也在德國的森林裡奏起勝利的凱歌？沒有人知道。

然而我並不想因此就把灰松鼠貼上禍害的標籤，畢竟被帶進歐洲也不是牠自己願意的。不過灰松鼠的生存優勢，很可能部分也要歸因於牠的行為，說到這裡，我們就得回到「偷竊」這個主題。松鼠有些時候真的就是靠搶奪同類的存糧來填飽肚皮，如同每年冬天從我辦公室的窗口觀察到的，當一次又一次的雪中搜索徒勞無功時，許多松鼠為了生存可能會不得不出此下策。忘記自己把存糧藏在哪裡的松鼠，就必須挨餓，因此在有些不確定時，就會乾脆直接從鄰居身上下手。針對這種偷竊行為，我們本土的松鼠是否已經發展出反制的對策，我並不清楚，但在灰松鼠身上，科學家卻有不少斬獲。

美國費城威爾克斯大學（Wilkes University）的研究團隊，觀察了松鼠怎麼設置空糧倉。發現松鼠完全是公開進行，目的就是要混淆同類的視聽。因此，這種行為只在牠覺得自己正被注視時才會出現；牠會先從地裡刨些土出來，假裝待會要藏點什麼東西進去。據科學家所說，這是首次有人證明了嚙齒動物也能施行騙術。在眾多陌生同類環伺之下，松鼠布置出的空存糧地點最多能高達百分之二十！而當研究人員嘗試讓學生把牠裝滿存糧的洞洗劫一空時，灰松鼠立刻有了反應，自此之後只要有人類在旁，牠也會施展出這套混淆視聽的把戲。

大膽的偷竊行為在松鴉之間也很常見。這種鳥基本上是標準的安全感狂熱分子：雖然冬天需要的食物明顯較少，秋天時牠還是會在鬆軟的森林土壤中，藏下最多可達一萬一千顆的橡果和山毛櫸堅果！這些富含油脂的種子，不僅是牠在下一個生長季來臨前的緊急存糧，也是牠在春天撫育雛鳥時重要的營養來源。然而這種聰明的鳥所儲藏起來的冬糧，即使以一般正常情況來說，還是綽綽有餘。不管是誰見到松鴉每每只用嘴喙翻動一次，就可以把牠藏在土裡的數千顆種子之一找出來，都不得不讚嘆牠那絕佳的記憶力。

那些沒有被用到的種子之後會吐芽長出小樹，如此一來牠們的後代子孫也有了食物來源的保障。在我的林區裡，我們就利用了松鴉的這種果實收藏熱，在樹種單調的老雲杉栽培林中播下闊葉樹的種子。我們會裝滿一箱箱的橡樹與山毛櫸樹果實，然後把它們安置在木樁上，松鴉對此很是捧場，牠會把得到的戰利品分散埋在方圓數百公尺內的土壤裡。這種做法一舉兩得且互蒙其利：我們的林區得到了彌足珍貴的新闊葉林，松鴉則是從容不迫且輕輕鬆鬆地就建立了一座巨大的冬季糧倉。然而在某些年裡橡樹和山毛櫸樹並不開花，此時對這種色彩繽紛的鳥兒來說，情況就會轉為嚴峻。在豐年時數量大增的族群，現在必須面臨削減的命運，這是亙古以來自然界中不斷循環且殘酷無情的法則。只不過，有誰想要活活餓死呢？部分的動物可能會向南方遷徙，但絕大多數會試著在自己原來的森林裡生存下去。

在這種匱乏的時期，晚秋的松鴉也會像松鼠一樣，在一旁窺探同類如何藏下自己珍愛的食物。反正沒人有辦法看管如此大量的藏匿點，要趁冬天不著痕跡地占點便宜，竊取那些食物以悠哉過活也並不困難。劍橋大學的研究顯示，松鴉對此極有可能是具有意識的。研究人員在鳥園裡鋪設了不同土壤的地面，有些是細砂，有些則是礫石。相較於在細砂裡挖掘幾乎不會發出聲音，小卵石卻會喀喀作響地洩露行蹤——當松鴉忙著要儲藏糧食時，便會巧妙地運用這一點。

如果是單獨在鳥欄中，松鴉根本不在意要把得到的花生藏在哪裡；而假若在挖洞時已經被其他競爭者發覺，牠把食物藏到哪裡同樣也是無關緊要。第一種情況是反正沒有人會知道牠把寶藏哪兒去了，第二種則是牠很清楚自己的行跡既然曝光，窺探者必然也已經發現了牠的祕密。不過當競爭對手是在牠雖然看不到但聽得見的範圍裡時，松鴉就會選擇把食物藏在比較不會發出聲音的細砂裡；這麼一來，潛在的賊對牠行動毫不知情的機率就會高得多。反過來說，小偷的行動也會同樣因此變得更輕手輕腳一點：相較於平常在見到同類時總是七嘴八舌、聒噪不已，松鴉在窺視他人藏食物的過程中，會明顯地變得謹慎輕聲——毫無疑問，這是為了不讓自己的存在曝光。23

透過這個實驗，有兩件事情再清楚不過：首先，藏食物的鳥兒有能力將自己設想成旁觀的同類，並考慮到從這位旁觀者的位置看自己，視線範圍將有何局限。再者，從刻意壓低自己溝通時的聲音，來提高順利竊取花生的成功率，可見這潛在的賊對於自己的行動是深謀遠慮的。

但是這種有意識地奪取他人財產的偷竊，並不會只發生在同一物種之間；在冬季時的許多闊葉森林裡，我們都可以發現不同物種間相互掠奪竊取的蛛絲馬跡。比如說，此時森林的地面上常可以看到一種深約半公尺的洞，洞口四周還點綴有一堆堆被鏟上來的大土塊。森林中會這樣到處翻攪的動物幾乎只有野豬，而且還總是發生在所謂的「豐年」（Mastjahren）裡，這個術語指的是橡樹和山毛櫸樹盛產果實的年度，而這在早年對農民當然是種恩賜；他們會把家裡飼養的豬趕到森林裡，讓牠們在冬季屠宰期來到之前大吃一頓，好好地增肥一番。今天這種在森林裡放牧的行為雖然已經禁止（至少在中歐地區），這個詞卻從此留了下來。而豐年時野豬會做的事自然與牠們已馴化的遠親沒什麼兩樣：就是讓自己長出一層肥滋滋的脂肪。不過當這大自然賜與的美味吃光，森林的地面就像被旋風掃過般一片空蕩時，飢腸轆轆的胃卻常常還是在吶喊著想要更多。是的，地底深處確實還藏著更多。

在這裡小老鼠們把自己從豐盛的秋收中分得的糧食藏進了儲藏室，然後打算安心地度過冬天。即使在嚴峻的霜凍時節，土壤結凍的現象也會在落葉層下不到幾公分的地方終止；因此老鼠在地底下的家，通常至少可以保持有攝氏五度那麼溫暖。鋪滿柔軟舒適的落葉與苔蘚，再加上完全避風的位置，使牠能夠在這裡以最佳狀況捱過冬天——如果沒有野豬來攪局的話。

這全身灰撲撲且喜愛四處翻挖的傢伙鼻子特別靈，可以在幾公尺之外就聞到小老鼠在地底下的藏身之處。牠從經驗得知，森林裡的小老鼠會勤奮地屯積橡果或其他種子，而且全部都會集中存放在一處。雖然對小老鼠來說夠用好幾個月的龐大存糧，就野豬而言只不過是一頓塞牙縫的下午茶；可是因為老鼠喜歡群居，幾份這樣的點心加起來，也就可以滿足一個寒冷冬日所需的熱量了。於是野豬會順著老鼠在地底築出的通道不斷挖掘，攻破一個又一個存糧密室，然後只用幾口就把發現的食物吃光。老鼠唯一能做的就是逃亡，但是對於無家可歸的小可憐來說，正值天寒地凍，食物尤其貧乏，牠的命運因此也陷入未知，前途未卜。而要是牠在地底下沒能來得及避開野豬，也會立刻被掃進牠的五臟廟——豬喜歡帶點配菜的肉食。不過或許這樣，老鼠至少免於經歷慢慢餓死的折磨。

若是以道德的角度觀之，野豬掠奪老鼠存糧的行為其實算不上真正的偷竊，畢竟牠並沒有欺瞞自己的同類。所以即使野豬完全可以意識到自己奪取了老鼠的存糧，然而在牠眼中這畢竟是尋常的覓食過程，當然老鼠對此鐵定會有完全不同的見解。

拿出勇氣

每一隻動物會發展出不同的性格，取決於牠自己獨特的基因與生活體驗。

如果動物只是依照一組固定的基因程式來行事，那麼同一物種裡的所有個體，在遇到相同的狀況時應該也要有一致的反應。也就是每當牠們身上分泌出某種分量的荷爾蒙，就會促成與此相對應的某種本能行為。然而，就像你或許已經從家裡的寵物那裡得知，事實並非如此。

我們都知道有些狗很勇敢，有些卻很膽小；有些貓很兇，有些卻很溫柔；又或者，有些馬很容易受到驚嚇，有些卻神經大條臉皮超厚。每一隻個別的動物會發展出怎樣的性格，其實是取決於牠自己獨特的基因秉性與同樣也很重要的環境塑造，亦即牠的生活體驗。

例如我家的貝瑞就幾乎像隻膽怯的小白兔。前面我已經提過，這隻狗在成為我家的一分子之前，已經輾轉換過了幾個不同的主人；於是在牠剩餘的生命裡，遭到拋棄的恐懼總是盤旋不去，每當我們帶著牠一起拜訪親友時，牠總是極度的不安與焦慮。作為一隻狗要怎樣才能知道，自己會不會再一次被送走呢？牠總是神經質地急促喘氣，於是最後我們改變了作法，寧可讓這隻患有心病的狗兒自己在家待幾個小時，回家後再來好好觀察牠有沒有因此放鬆下來。不知道是否因年歲已高聽力大減，牠經常不知道我們已經回家了，牠總是繼續深深地熟睡，在察覺到我們在木質地板上腳步的震動後，才醒來用惺忪的睡眼望著我們。貝瑞的例子說明了什麼是意志消沉，但是這裡我們想要了解的是與其相反的特質，對此就讓我們先到森林裡去看看。

一隻跟著母親越過森林裡一道圍籬的小鹿，就曾經向我展示過牠無與倫比的勇氣。早先我曾讓人在一些因風災而樹倒嚴重的雲杉栽培林裡搭建過圍籬，為了要讓這裡盡快轉變為天然林，林工們種下了許多小闊葉樹，而它們最怕的，就是那些嗜吃綠葉的大食客貪吃的嘴。於是出於保護的目的，我讓人在這片種苗栽培區的周圍搭建了圍籬，這座鐵網圍籬有兩公尺高，圍籬內生長著橡樹和山毛櫸樹的種苗。

後來在一場風暴中，圍籬附近有一棵雲杉倒了，正好，壓垮了其中一大片圍籬。穿過這個缺口，狍鹿（一種體型較小的鹿）和剛才提到的帶著小鹿的母紅鹿（體型較大）簡直是瞬間宛如置身夢中的天堂。這裡沒有健行者來打擾，而且在牠們所喜愛的闊葉樹種上，還長著可以拿來大啖一番的美味嫩芽。當然，從我的角度來看，這完全是另外一回事，如此一來，這造價昂貴的圍籬就失去了功能，而我們想要在再度擁有稱得上是天然山毛櫸林或橡樹林的目標，也勢必更加來日方長。於是帶著我的小明斯特蘭犬馬克西，我們一起跟著越過了圍籬，想把這些不請自來的食客驅趕出去。

為此，我打開了位於一隅的圍籬門，希望這些野鹿在被趕著沿柵欄跑時，能從這裡逃出去。牠們是一定要逃走的，因為馬克西已經全面展開行動；這隻母狗即使在一百公尺外都能對我的信號有所反應，牠現在正四處奔馳，非得把所有的矮灌木叢都搜索翻弄一次不可。一隻被逼急的狍鹿跑過我身邊，從圍籬門衝了出去，可是只不過就在二十公尺外，卻又從圍籬下一個小的不得了的洞，以肚貼著地鑽了回來。在對付紅鹿上，我們也全面潰敗，這次就是因為那隻小鹿。

當時母鹿正想領著牠快步往外衝，馬克西也正火力全開地要把牠們往這方向趕。然而這隻小鹿可能是忍無可忍，突然間轉過身，帶著威脅性地往馬克西直奔而去。馬克西的膽子通常很大，幾乎找不到什麼會讓牠害怕的東西，然而一隻衝向自己的小鹿——這牠倒真的未曾體驗過！牠先是驚訝困惑地站著，不過當小鹿的攻擊行動持續進行，最後牠也只得夾著尾巴逃開。

這無疑意味著驅趕行動的告終，而這一天，就讓野鹿們繼續待在圍籬裡吧！這件事讓我對馬克西一向的欽佩煙消雲散，而其他讓我想到時還能會心一笑的，就是那隻我真的也從未見過的勇敢小鹿。而這隻小鹿是真的膽識過人，因為在現實中挺身而出，並且擋在攻擊者與自己孩子中間的，通常都是母鹿的職責。

但究竟什麼是勇敢？再一次地，我們發現這個詞具有許多不同的，且大多只是含糊不清的定義（你可以試著自己即興地定義看看），不過其中似乎至少有一個方向是明確的：勇敢是一種即使知道一件事情有危險，但只要是重要的就會去執行的行為。與大膽狂妄、目空一切不同，勇敢被視為是正面的特質；而從這層意義來看，小鹿的所作所為可以說是完全正確。

除此之外，同樣也很勇敢的還有前面已經提過，會在我們林務站旁的老松樹上孵蛋的田鶇。面對牠的宿敵烏鴉，牠從來不會坐視自己的孩子就這樣被攫走，一旦令人望之生畏的烏鴉飛近了田鶇群集的地方，就會立刻在空中遭受迎頭痛擊。田鶇會以人海戰術包圍體型明顯比牠大上許多的入侵者，並從高空中高速俯衝下來瘋狂攻擊牠。要對抗一隻忿怒的小動物或重重地傷害牠，對烏鴉來說都是輕而易舉之事，然而這裡牠所面對的，是先下手為強的果斷攻擊，而且經常是許多對手結盟起來對付牠，殺得牠措手不及，只能展開狼狽的迴避戰術，這不僅會讓牠不知不覺離田鶇的巢穴愈來愈遠（這絕對是正中下懷），而且似乎也讓牠極度煩躁，因為烏鴉經常不到幾分鐘後就打退堂鼓，從這些老樹的上空消失無蹤。

所以，我們可以說田鶇勇敢嗎？或者牠只是將內建的基因程式跑了一次，因此能夠在敵人出現時有所反應？答案是兩者兼具。而且在所有類似的情況中都是如此，甚至人類自己很有可能也是這樣。並非所有的田鶇都會有如此勇敢、執拗的反應，會追趕烏鴉多遠，俯衝式的攻擊會有多猛烈，每一隻鳥都不同。有些較怯懦的鳥兒只是做個樣子配合升空，一些大膽無懼的勇者卻可以一路追打棄逃的烏鴉數百公尺之遠。

不過比較不是那麼勇敢的，是不是理所當然地處境就比較不利？馬克斯・普朗克鳥類研究院的丁爾曼（Niels Dingemanse）和團隊，對此就有不同的看法。他們研究了白頰山雀的性格特質，發現較膽小的個體比較能夠與其他同類和平共處。牠們不喜歡爭吵也不愛成群結隊，而是偏好與一小群志同道合者一起生活。膽怯的鳥兒動作較慢也比較安靜，在牠展開行動前通常需要許多時間；不過也因為這樣牠們會發現一些小驚喜，那是比較大膽且動作比較敏捷的同伴通常不會注意到的，譬如說前一年夏天留下的種子。[24]或許也就是因為不管是勇敢或膽怯的動物都一樣各有利弊，這兩種性格特質的基因才能共同保留到今天。

非黑即白

我並不相信，每種生物在生態系統中都應該具備某種特別的「任務」。

大體而言，多數人是有興趣了解動物的感受的，然而這種興趣多半無法涵蓋所有的物種，特別是那些我們認為危險或噁心的動物。「到底為什麼要有扁蝨這種生物啊？」雖然經常有人這樣問我，我還是覺得這個問題實在問得很不可思議。因為我並不相信，一種個別的動物在生態系統中應該具有某種特別的「任務」。你認為從一個林務員的口中聽到這句話很奇怪嗎？我卻認為這樣的主張，更能向每一種生命表現出應有的尊重。

不過在聽我依序道來之前，還是先讓我們再多舉幾個例子，譬如說黃蜂。這種合群且社會性很強的昆蟲，在晚夏時分卻完全能讓人抓狂，我自己也經常在某些時候，會覺得終於受夠了這種穿著條紋衣裳的帶刺小蟲。或許這與我青少年時期的一段經驗有關：某天在我正輕快地飆著鐵馬奔向游泳池，一隻黃蜂迎面向我撲來，而且因為逆著氣流飛的關係，就這樣貼在我的兩片嘴唇之間。我雖然閉緊了雙唇，但還是躲不掉就像被縫紉機連戳好幾針的命運，真正讓我害怕的是，我的下唇因此腫脹到幾乎要爆裂；再加上處於青少年的年紀，只要是涉及身體外貌變醜的事情，就會變得不怎麼有自信。簡單地說，黃蜂在我的眼中從此就不特別待見。類似的事情你或許也曾經歷過，因此市面上充斥著各式各樣的防護產品就一點也不奇怪了。像有一種鐘形的玻璃容器，裡面裝了誘人的香甜液體，作用就是要吸引黃蜂前來，然後讓牠就此淹死在裡面。聽起來很卑鄙，事實上也是。不過，反正會螫人的昆蟲本來就被認為是差勁低劣的，人們根本不會對此多費心思。

轉換一下場景。一名女同事菜圃裡甘藍菜肥厚飽滿的葉子上，完全讓白粉蝶胖胖的幼蟲給占領了。牠們也是害蟲，有辦法咬穿甘藍菜的葉子直達葉骨，對於她的求救，我們的建議是使用苦楝樹油，根據好幾年來的經驗，它的效果很不錯。自從開始使用這種友善生態的噴灑劑後（它也獲准在有機產品商店販售），我們總是有完好的甘藍菜可收成。然而這位同事的菜圃後來並沒有用上這種油，因為她花園裡的黃蜂此時派上用場了。黃蜂會直接撲向毛毛蟲，並把牠們咬成一段一段，以方便運回巢穴，滿足牠嗷嗷待哺的寶寶，因此不用多久的時間，所有的小瘟神便會消失無蹤；在我們的林務站旁，其實也可以觀察到類似的現象：「黃蜂為患」的夏天，便是甘藍菜園可以免於毛蟲災難的保證。這麼說來黃蜂其實是益蟲囉？

在我們的花園裡，多數的動物都會得到類似的標籤。山雀：有益的（吃掉毛毛蟲），刺蝟：有益的（吃掉蝸牛），蝸牛：有害的（吃掉生菜），蚜蟲：有害的（吸取植物汁液）。每一種有害的動物，都恰好存在著某種能夠抑制牠的有益動物，一物剋一物，這不是太美好了嗎？不過如果這樣劃分自然界，也就代表我們理所當然地認定了兩個假設：首先，造物者創造萬物必定先有計畫，而且是個一切都可以精準地相互配合，經過均衡構思之後打造出來的計畫。其次，這個造物者所創造的世界，是完全根據人類的需求而量身打造。在這樣的世界觀中，會提出「扁蝨存在的意義為何」這種問題就比較可以理解了。關於這點我並不想批評，畢竟這種觀點甚至在一些標榜自然保護的社團中也很普遍，比如說透過搭建巢箱來促進「益蟲」的繁殖與生長。然而大自然真的會這樣任人擺布，硬是被塞進一個抽屜嗎？答案如果是肯定的，那我們所適用的「抽屜」又是哪一個？

不，事實當然並非如此。我想數百萬個物種複雜多樣且活蹦亂跳的生命，之所以能夠彼此配合無間，是因為某些肆無忌憚地掠奪所有資源的自私鬼，一開始會先讓生態系統失去平衡，之後再使它以及其中的生命發生永久不可逆的改變。類似這樣的事件，二十五億年前就曾發生過。當時地球上生活著許多不需要氧氣的厭氧生物，也就是說今天對我們呼吸作用最重要的氣體，對當時的生物來說卻完全是毒氣。然後從某天起，藍綠藻開始疾速擴散，靠著光合作用來獲取養分，並把過程中所產生的廢氣，也就是氧氣排到空氣中。起初這些氧氣還能被岩石吸收，例如一些含鐵岩石在之後便出現氧化的現象；然而終究在某個時候，氧氣多到無法被全部吸收，空氣的含氧量也因此愈來愈高，終於超越了死亡的臨界點。許多物種因此滅絕了，劫後餘生者則學習到了如何與氧氣共存。所以到頭來，我們其實是那些適應者的後代。

原則上，細微的修正天天都在上演；我們所認為的像掠食者與獵物之間那種搭配完美的平衡關係，事實上是一場有著許多失敗者的艱苦爭鬥。如果一隻山貓在牠面積遼闊的領域裡四處遊走，就意味著牠想要找隻狍鹿來填飽肚皮；但是這種大貓並非優秀的短跑健將，因此牠必須把行動的重點放在突襲上，而一些毫無防備且粗心大意的草食性動物，如果對這隻大型獵食動物現身的消息充耳不聞，就特別容易讓自己淪為犧牲品。山貓每星期都可以享受到一隻「美味」的鹿，不過那也只在所有的鹿都得到預警前的這段時間裡；在那之後只要有一丁點風吹草動，整座森林就會陷入一陣恐慌，連附近人家的寵物也都變得疑神疑鬼。

根據一名同事的說法，他的貓是第一個發現林區裡出現山貓的，「這隻小貓從此不敢走出大門了。」他這麼說。然而是誰把山貓的消息告訴這隻貓的呢？他當然說不上來。或許是所有可能淪為獵物的生物的行為，在森林裡製造出了一種充滿疑忌的鬼魅氣氛；而這會導致山貓愈來愈難抓到獵物，因此牠也被迫必須繼續進行下去，一直要到好幾公里以外，在一個牠的行蹤尚未曝光的新區域，才有辦法再度痛快地獵食。不過同一個區域內如果同時出現太多隻山貓，終究也會在某個時候再也找不著毫無戒心的獵物；特別是在冬天時，因為氣溫極低，但能量需求卻相對提高，牠們當中有許多，尤其是缺乏經驗的年輕山貓會因此活活餓死。我們或許也可以這麼說，這是生物族群數量自我進行調整的過程；然而最終總會有生命離開塵世，而且還是以相當殘忍的方式。

大自然因此並不是一個有著許多抽屜的櫃子，物種也沒有本質上的好與壞，就像我們在前面松鼠的例子裡所看到的一樣。只不過跟一開始提到的扁蝨比起來，對松鼠要產生同理心，或至少對牠們感興趣，就我們而言還是要容易許多。然而即使是這種令人憎惡的小蟲子也有感覺，至少在牠面對像飢餓這種簡單的情緒刺激時，是經得起以實證來檢驗的。因為只有在極度飢餓的狀態，這種迷你蛛形綱的動物才會真正開始渴望哺乳類動物的鮮血。

一個空空如也的胃必然極度不舒服，特別是如果已經將近一年沒有裝進任何食物——扁蝨在最極端的例子裡，可以撐這麼久再進食一次。如果這時候有隻大型動物向牠走來，扁蝨便能感受到牠腳步的震動，也可以聞到牠散發出來的汗味及其他氣味。於是牠會動作敏捷地張開前肢，運氣好的話就可以跳到從旁踱步而過的動物腳上或身上，緊緊攀住並搭一段順風車。接下來，牠會爬到一個溫暖舒適且皮膚層較薄的位置，然後從那裡一口咬下去；藉著口器牠可以把自己掛在傷口上，並吸吮從中汩汩流出的血。如此一來，這隻小吸血鬼可以讓自己的體重增加好幾倍，而且整個身體脹得就像顆豌豆。

扁蝨的一生會經歷三次蛻皮，而且在每次蛻皮之前，牠都必須再找一個新的受害者來加滿血，因此這個成熟的過程，最長可以持續到兩年。牠們終究會迎來這個時候，不管是體型較小的雄性或較大的雌性，都會吸了滿格的血讓自己的身體脹到快爆炸，接下來就只剩最後的決賽——雄扁蝨必須交配。必須？其實是「想要」！就像人類一樣，牠們也受欲望操控，也會急切地尋找伴侶，想要緊緊地攀住對方並立即展開行動。在那之後，雄扁蝨便會死去，幸好到了這裡，人類和牠們已經大不相同；不過牠的伴侶在下完兩千顆卵然後死去之前，至少還可以再多活一段時間。

當動物最大的快樂或者至少生命中的高潮（因為前者還沒辦法證明），是在於養育上千個後代，最終精疲力竭而死，就哺乳類動物來說，我們把這稱為「自我犧牲」的精神。可惜人類對扁蝨的感覺，還是只有厭惡。

溫暖的蜜蜂，冷血的小鹿

刺蝟在冬眠時會作些什麼夢呢？

還有人記得曾在生物課時學過這個嗎？除了其他各種五花八門的分類方式外，動物世界還可以依體溫區分為「恆溫」和「變溫」這兩大類。是的，我們又遇到貼著標籤的分類抽屜了，而且接下來你會看到，這其實也行不通。

不過在那之前，我們還是先回頭看看科學上對此是如何分類。恆溫動物能夠自行調節體溫並使它保持恆定，最佳範例就是人類。當我們覺得冷時，肌肉就會開始顫抖，如此一來便能製造身體亟需的溫暖；若是太熱時，流汗則可以讓我們達到蒸發冷卻的效果。變溫動物的體溫，則不管在任何情況下都是隨外面的溫度改變；當天氣太冷時，牠們的活動力便會全面停擺。例如冬天時我就經常在劈成一塊塊的柴薪間，發現再也飛不起來的蒼蠅，牠們雖然還可以用極慢的速度在木塊上移動，但在氣溫降到零度以下時最多也就是這樣了。這時候牠們只能無助地抱著一絲希望，希望在這天寒地凍的時節，沒有鳥兒會發現自己。而這種情況，在所有的昆蟲身上都一樣。是「所有」嗎？當然不是，我的（和所有其他的）蜜蜂就不是這樣。

我以前其實根本沒想過要養蜜蜂。與昆蟲建立關係本來就難，況且只要想到牠還會螫人，心裡就不自覺地產生反感了；而且我也很少吃蜂蜜，這就養蜂人來說，應該是個很糟的先決條件。不過現在，我卻真的變成養蜂人了，而這一切都只歸因於想要有蘋果吃——那陣子的春天，在我們的果樹上幾乎看不到蜜蜂的蹤影。為了改善這種狀況，二〇一一年時我想辦法得到了兩群蜜蜂，自此之後，我們的果樹授粉狀況絕佳，家裡頭也總有吃不完的蜂蜜，最重要的是：我知道了蜜蜂在許多方面與其他昆蟲不同！

譬如說，蜜蜂其實是具有恆溫特性的動物。這也是牠們會充滿蒐集狂熱的主要原因，那些可以加工製造成蜂蜜、並儲存在蜂房裡的花蜜，就是提供牠們冬天身體能量的預備燃料。蜜蜂喜歡暖和舒適的溫度，攝氏三十三到三十六度是最舒服的溫度——只比哺乳類動物稍低一些。在夏天時，這一點都不成問題，甚至還剛好相反：一個可以由五萬隻個體構成的蜂群，在工作時經由運動的肌肉，就能製造出相當的熱度。蜜蜂甚至必須花費許多精力來使熱氣散掉，整個蜂群才不至於因為高溫而中暑。對此，工蜂會到最近的小水塘汲水回來，讓它在蜂巢裡蒸發來降溫。至於空氣的流通，則是藉助牠們幾千次的振翅拍動來進行，如此一來蜂房之間才能得到較涼爽的風。

只不過有時候一些程度較大的驚擾，會使整個蜂群的努力盡付流水。例如在蜂群遭受外來的攻擊或遷移蜂箱的運輸方式不當時，蜜蜂過度的騷動不安會使周遭溫度嚴重上升，而這會導致蜂房融化，蜜蜂則因熱衰竭而香消玉殞。這種現象在行話中稱為「Verbrausen」，形容蜂群集體大聲拍動翅膀的行為，牠們因為過度恐慌而讓自己陷入末日。

但在正常情況下，蜜蜂調節氣溫的機制其實運作地堪稱完美。對牠們來說，一年中大部分的時間裡，其實天氣都偏冷，如何提高溫度才是更重要的議題。使肌肉顫動意味著消耗熱量，而蜂蜜則是提供牠們必要能量的來源。蜂蜜其實就是高度濃縮且富含維生素與酵素的黏稠糖漿，在冬令時節，一個蜂群每個月可以消耗超過三公斤的蜂蜜，就像熊在冬天的脂肪一樣，蜜蜂的存糧會持續減少，族群的規模也會劇烈縮小。

如果天氣很冷，小蜜蜂們會彼此緊緊地挨在一起，形成一團蜂球。愈是處於蜂球的內部就愈溫暖，因此也就特別安全——想當然耳，這是蜂后的位置。但是那些必須待在最外圍的蜜蜂呢？當外面的氣溫低於十度，牠們不到幾小時就會凍僵，於是裡面的同類會善意地出來輪班，讓牠們能夠擠進同伴之間再度暖和起來。

昆蟲因此絕非完全是變溫動物，蜜蜂已經清楚證明了這一點。現在你心裡肯定也想到了，那哺乳類動物也未必一定就恆溫吧？其實維持恆常的體溫，應該是哺乳類動物（與鳥類）的基本特徵。**應該是**。但是像刺蝟這種小型哺乳動物，就向我們宣告了沒有規則不存在例外。

相對於體型跟牠差不多大的松鼠，在冬天偶爾還會精神抖擻地在雪地裡蹦蹦跳跳，這種全身布滿扎人小刺、只在地面上活動的小傢伙，卻會完完全全地睡滿一整個冬天。牠的刺不像松鼠緻密的體毛那樣保暖，因此每當氣溫下降，牠就必須消耗許多能量來保持溫暖；此外，像甲蟲和蝸牛這些牠最愛的食物，為了躲避寒冬也都從地面上消聲匿跡了。所以此時此刻，還有什麼會比同樣也來睡場長覺更適合呢？

於是刺猬會在鋪得很暖和的窩裡，經常是築在枯葉或乾樹枝堆裡的深處，把自己舒舒服服地蜷成一團，然後深深沉入長達數月的冬眠狀態。與其他物種不同的是，牠不再把體溫保持在三十五度上下，而是關掉整個能量供給機制。這樣做的結果，是牠的體溫會接近四周環境的溫度，有時候甚至低到只剩攝氏五度；心跳頻率也會從最快時的每分鐘兩百下，放慢到只剩九下；而呼吸的頻率，則是從每分鐘五十次降到只有四次。這樣一來，刺蝟幾乎不會耗損任何能量，能把自己的體力一直保留到隔年春天。

寒冷完全不會對刺蝟造成困擾，只要天氣維持這樣冷颼颼的，上述的這種策略就能發揮最佳功能。怕的是當氣溫超過六度，才真正會為刺蝟帶來生命危險，上升的溫度會使刺蝟慢慢恢復生氣，從原本沉睡的冬眠中進入一種半夢半醒的狀態。在這種狀態中，牠會消耗較多的能量，但卻尚未實際具有行動反應的能力。如果這樣的天氣條件一直持續下去，許多冬眠中的刺蝟就會有餓死的危險。這種小動物通常必須在氣溫高於十二度時，才能真正再恢復行動力，並吃點東西，不過這也要牠找得到食物，畢竟牠的獵物都還藏身在避寒之處。還好不少這樣太早醒來的小傢伙都被發現了，人們因此也得以在刺蝟收容站裡，幫牠們好好地補充一下元氣。

刺蝟在冬眠時會作些什麼夢呢？其實處於真正沉睡的階段裡，幾乎不會有新陳代謝，所以牠可能什麼夢也沒作。腦部在作夢時因為高度活躍，也會消耗許多能量，沒有新陳代謝，當然也就沒有腦中小劇場。然而當刺蝟處在氣溫高於六度的那種半夢半醒狀態時，情況又會是怎樣？如果牠現在能夠作夢的話（畢竟此時能量消耗提高了），應該也是那種很想醒來但偏偏卻又掙脫不了的惡夢。無論如何，這種狀態相當危險，而且或許牠在半夢半醒中隱約意識到了這一點，因此會帶著懷疑和抗拒徹底醒來。可憐的小東西！在當前氣候變遷的趨勢下，這樣的暖冬現象，只怕會愈來愈明顯。

松鼠的情況就好一些——不過也只在作夢這方面。牠並不進行真正的冬眠，而是每次在醒來並感覺到飢餓之前，都會連續瞌睡個兩、三天。雖然為了減少消耗卡路里，這段期間牠也會放慢心跳的速度，但身體的溫度卻依然很高。這也是為什麼牠需要定期補充高熱量營養，也就是像橡果與山毛櫸堅果這樣的食物，一旦吃完或者找不到這些果實，松鼠就必須挨餓。

野鹿在度冬的策略上，相對地與刺蝟就比較接近。令人料想不到的是，牠同樣可以讓身體外側部分的溫度降低；也因為牠會在一天中反覆進行這個作用，所以野鹿的冬季靜息狀態，每次只持續不到幾小時。雖然如此，牠還是透過這種方式抑制了過度消耗寶貴的身體脂肪；即使外面很冷，牠的新陳代謝最多也可以比夏天時要低上百分之六十。[25]不過現在出現了另一個問題，消化食物需要高功率運作的新陳代謝，但整個冬天完全不進食也不大可能，於是野鹿只要進食了，牠消化食物所耗掉的能量，經常比食物本身所能提供的還更多。因此獵人在冬天供應食物給野鹿的作法，可能會導致矛盾的結果：這些動物反而會成群餓死。

二〇一三年時在我家所屬的阿爾魏勒區，就有一群獵人曾經爆發過一陣忿怒的狂潮，因為他們不想遵從邦政府禁養的規定，執意繼續餵食野鹿；根據了解，最後至少有將近一百隻野鹿餓死了。如果人們不提供草料與甜菜根來迫使牠費勁地運作消化機能，許多野鹿應該可以安然活過冬天。畢竟在自然法則中，動物冬日所需的能量，主要來自牠在秋天累積的身體脂肪。

然而，不知道是從什麼時候開始，這個問題總困擾著我：野鹿是不是整個冬天都必須忍受飢餓的折磨？這種念頭令人難以愉快起來。帶著空空如也的胃站在冰天雪地中，再加上身體外側部位的體溫降低，這絕對是非常難受的狀態，至少對人來說。不過在這此同時，動物可以排除飢餓感的論點被證實了。

飢餓是由潛意識所觸發的一種衝動，這股衝動會促使我們立刻吃點東西。然而只有在熱量提供的形式合理時，這種感覺才能夠喚醒吃的本能；針對這點，我們可以用「噁心」為例：即使是在飢餓的狀態下，人也沒辦法吃下腐爛發臭的東西。我們的潛意識會把飢餓感暫時關閉，取而代之的是堅定的意志，拒絕現在送到眼前的食物。我們還不知道野鹿不吃嫩芽與枯萎草料，是因為厭惡還是牠不過就是吃飽了，不過有一點至少很清楚，這種動物雖然在冬天禁食，但卻不太會感受到飢餓，因為對牠此時身體能量的收支平衡來說，這是比較有利的狀況。

不過上述這種調降體溫的機制與減少新陳代謝的作用，並非在所有野鹿身上都運作地一樣好。而效果的好壞程度，是依角色而定，這尤其與一隻鹿在群體中的排序與位階有關。冬天時在一群紅鹿中，比較強而有力的個體特別容易暴露在危險裡；因為群體的領導者必須經常保持警戒，這會讓牠一直有著高頻率的心跳，當然還有高能量消耗。雖然身為領袖享有食物的優先權，但這對牠助益有限，冬天時凋萎乾枯的草類與樹皮營養非常貧乏，並不能提供給動物足夠的熱量，導致牠身上的脂肪會損耗得很快，與群體中地位較低的同類比起來，更是明顯地瘦上一圈。而那些地位較低的野鹿，在寒冷的冬夜裡昏昏欲睡且有點卑躬屈膝地四處站著，牠們吃得雖然比較少，但消耗的能量卻也更少，因此每當冬日將盡，牠們身上存留的脂肪量，總要比群體裡的領袖多。

所以雖然擁有優先進食的權利，愈是群體中的頂尖分子反而擁有更少的生存機會，這是維也納的研究人員，在觀察廣大圈圍面積裡的鹿群後的意外發現。科學家於是這麼認為，比起尋求某種動物現象的一般平均值，未來我們必須更加關注牠們個體的生活史與性格特質。畢竟演化就是這麼運作的——開始於常規準則中的偏差。[26]

因此變溫與恆溫動物這兩大類別間，實際上界線不清，而且相互重疊。那麼有關「感覺到冷」這種現象，又是怎樣的情況呢？覺得冷是一種身體發出的訊號，它提醒生物本身體溫危險下降，必須立刻採行某種對策。就人類而言，體溫降到攝氏三十四度以下，就等於是宣告了回天乏術，在那之前，我們早就開始發抖，並尋求移動到溫暖的位置。對馬來說情況並不會有什麼不同，我家的老馬嬉皮在冬天濕冷多風的日子裡顫抖得尤其厲害，牠總會躲到草地上的馬棚下以尋求庇護。這隻母馬因為比起其他同伴少了一些脂肪與肌肉量，因此身體即使有著冬天的毛皮，保暖效果有時還是不足。這種時候我們通常會幫牠蓋條溫暖的毯子，直到牠不再發抖恢復正常。毫無疑問地，面對寒冷時，嬉皮和我們難受的程度並無二致。

那麼，昆蟲呢？牠們的身體不具有維持恆溫的機制，因此體溫會隨著外在氣溫升降。為了不讓身體完全凍僵，秋天時牠們不是蟄伏在地底，就是藏身在樹皮下與植物的莖幹中；而且牠們的細胞中含有甘油，能夠阻止較大且具有銳角的冰晶形成，因此也可以避免細胞因為凍結而爆裂。但是，冷對牠們來說是什麼感覺呢？或者說，這些物種到底有沒有冷的感覺？每當看到青蛙和蟾蜍在深秋之際撲通一聲跳進寒冷徹骨的池塘，並在池底兀自打起盹來時，我就無法想像牠們會覺得冷。冷水之所以會讓我們如此不舒服，是因為比起空氣，它更容易讓我們失去體溫；然而，如果自己的體溫就跟池塘裡的水溫一樣，一躍而入應該也就不是什麼糟糕的事。所以池塘裡冷嗎？這些蛙類一定不覺得。

不過像昆蟲、蜥蜴或蛇類這些動物，真的也感覺不到熱嗎？這我就無法想像了。畢竟牠們在明媚春日，就常常喜歡為自己找塊充滿陽光的小天地；牠們小小的身體吸收愈多熱能，就會愈敏捷靈活。所以說，溫暖在這些動物身上喚起的感覺應該大多是正面的，然而追尋陽光卻也可能讓牠們付出昂貴的代價，例如蛇蜥。

最能夠讓蛇蜥體溫快速上升的地方，就是在陽光下的馬路上。柏油路面可以儲存大量的熱，連夜晚時都能持續地把熱散回空氣中，這使它成為蛇蜥最愛的加熱站；直到一輛輛疾駛而過的車，碾過這些小小的拜日者；不幸的是，這發生得極為頻繁。撇開這類悲劇不談，變溫動物鐵定也能感受到溫度；當然，牠們對溫度的感受是不是和人類一樣，就值得我們繼續探究了。

群體智慧

蜜蜂很清楚牠自己是誰，而且要弄清楚這點，牠並不需要群體。

群居性的昆蟲實行分工制度，科學家早就以「超個體」（Superorganismus）這個詞來稱呼牠們，指的就是所有的個體都只不過是龐大整體裡的一部分。森林裡最足以代表這種現象的生物莫過於紅林蟻，牠們能夠築出規模驚人的蟻丘，僅僅是在我的林區裡面發現過的，最大直徑就可以達到五公尺！

一個這樣的蟻丘，裡頭通常住著好幾位蟻后，牠們的職責就是努力產卵，並以此維持自己族群的數量。負責照顧蟻后生活起居的，則是多達百萬隻的雌工蟻。在螞蟻嚴明的社會階級中，最下層的是長著翅膀的雄蟻，牠們會飛行到蟻后所在之處，交配完後就會死亡。雌工蟻最久可以活六年，就昆蟲而言，這已經算是壽命非凡；然而蟻后的長壽卻讓牠們望塵莫及，二十五年是她可以達到的紀錄。

螞蟻族群需要陽光才有辦法達到活動體溫，這也是為什麼紅林蟻的家，總是蓋在較為透光的針葉林裡。然而隨著雲杉與松樹栽培面積在中歐地區擴大，紅林蟻的分布範圍，也跟著遠遠超出了牠原本的自然生活空間。說起牠名列保護物種的原因，其實是基於牠「森林警察」的名號，而不是牠的稀少性。據說牠「應該」會協助林務員，除掉一些像樹皮甲蟲或毛毛蟲之類令人頭痛的害蟲；然而這種紅黑色的螞蟻雄兵，其實對於上述的生物根本興趣缺缺。好吧！牠或許吃掉了一些我們所謂的「害蟲」，但是當然也不會放過某些我們想要保護的稀有物種，對人類「有害」與「有益」的分類，牠根本毫無概念。不過螞蟻王國的精彩迷人之處，並不會因此就有絲毫的遜色。

紅林蟻的親戚，也就是蜜蜂，有著跟牠十分相近的生活方式，而且被研究得特別徹底。牠們也有嚴密的分工制度，每隻蜜蜂生來就被賦予特定的職責。蜂后原本也是從一個普通的受精卵發育而成，只不過當其他幼蟲得到的食物是花蜜與花粉的混合物時，這個終將登基為威嚴女王的幼蟲，得到的是一種特別的營養漿液：蜂王乳。它是由工蜂的哺育腺體分泌製造，一般幼蟲需要二十一天才能發展為成蟲，但在這種超級配方的營養灌注下，只要十六天就可以誕生出一隻新蜂后。蜂后一生只會旅行一次——那是她為了與雄蜂交配而展開的婚禮飛行。之後她會回到她的子民當中，終其一生（四到五年的時間）日復一日地每天產下最多兩千顆卵，只在冬令時節會短暫停歇。

工蜂則必須辛勞工作來度過短暫的一生。在生命初始的頭幾天，牠必須負責照顧餵養剛孵化的幼蟲；大約在一個半星期後，牠也必須開始擔負起將花蜜轉化為蜂蜜及將其妥善貯存的責任；而一直要到牠三星期大時，才可以外出到草地上或田野中，進行接下來大約三個星期的採蜜工作。在鞠躬盡瘁地完成這些任務之後，牠的生命也走到了盡頭。只有那些越冬的蜜蜂可以活久一些，牠們會緊緊地圍住蜂后，依偎成一個蜂團，等待寒冬過去春神降臨。

與工蜂完全相反，雄蜂唯一的職責就是與蜂后交配。但是這一生中只會發生一次，而且牠們之中只有極少數可以獲得青睞，因此雄蜂大部分的時間，都在無所事事地四處遊蕩。

所以這一切，包括整個過程中最精細的部分，其實都已經預先設定好了。蜜蜂會在蜂房裡透過舞蹈，傳遞蜜源與其距離的訊息；會把唾液混入花蜜中，將其放在自己細小的舌頭上晾乾然後製成蜂蜜；牠還能分泌蜂蠟，並以此築出有如藝術創作品般精巧的蜂室。科學家對蜜蜂的這些成就雖然讚嘆不已，但根據他們的說法，以昆蟲這麼小的腦容量來說，要達成這麼高的成就根本不可能。所以這一切，最後只能被視為是某種超個體的能力展現；而牠們在認知上的成就，則被稱為是「群體智慧」。

在這樣的有機體中，所有的動物都會共同協作：個體的功能，就和無數微小的細胞在一個龐大的身體裡共同運作一樣。然而當個別的動物被認為是相對愚笨的同時，牠們各種不同的協作行為與對環境刺激的反應能力，卻在整體上被論定為是一種智慧；這樣的觀點並不把個別的動物視為個體，而是把牠們貶低成一種組合零件或是一小塊拼圖碎片。也難怪在養蜂人的老行話中，只管把一個蜂群稱為「那隻蜂」，也就是說在人們的眼中，一群蜜蜂跟一隻蜜蜂根本沒什麼兩樣。

不過對於人類如何看待牠們，這些小小飛行員根本完全不在乎，而且自從我自己開始養蜂之後，也知道了這種看法是一種謬誤。因為牠們小腦袋瓜裡想得到的事，可比我們認為的要多得多。譬如說蜜蜂完全能夠辨識出這兩種人的差異：惹惱牠的人來者不善，牠會加以攻擊；不去打擾牠的人，則明顯地可以放心大膽地接近牠。柏林自由大學（Freie Universität Berlin）的孟策（Randolf Menzel）教授還另有驚人的發現：那些第一次離開蜂房的年輕蜜蜂，會以太陽做為某種形式的羅盤；藉此發展出一幅有關蜂巢附近環境的內在地圖，並在其中記憶自己的飛行路線[27]；簡單地說，牠們對於周遭環境的樣貌，其實有著一套自己的看法。

因此在方向定位的能力上，蜜蜂與我們是相似的，因為人類也有像這樣的內在地圖。然而這還不是全部。藉由探路回來的工蜂向同伴們展示的「搖擺舞」，可以傳遞有關蜜源產量、方向和距離的資訊，例如在哪裡有一座盛開中的油菜花田。不過孟策教授和同事做了這樣的安排，他們故意清除掉這個剛被告知的蜜源；結果他們發現失望歸來的蜜蜂，會向發現其他蜜源的同伴請益，並再次從牠們的舞蹈中得到新的參照座標。只可惜研究人員又清除了第二個蜜源，而這意味著會有更多沮喪的蜜蜂空手而歸。

孟策教授還觀察到一個特別的現象：有些蜜蜂不死心地再度飛到第一個蜜源處，不過當牠們發現那裡依舊空無一物，就會逕自飛向第二處蜜源。可是，牠們是如何辦到的呢？透過搖擺舞牠們所得到的資訊，不管是蜜源的距離或方向，都是以蜂巢所在的位置為參照點。唯一能夠解釋這種現象的說法，就是這些小傢伙為了要從第一個蜜源點出發，並順利地找到第二個蜜源點，妥善地運用了所有得到的資訊。[28]我們其實也可以這麼說：牠們記住了這些訊息並加以思考，然後開發出了一條新路線。在這裡，群體智慧根本派不上用場，當然不，這個想法是從牠自己那個小小的腦袋中成形的。更特別的是，在此同時牠還計畫了未來，思考從未見過的事物，也能夠察覺自己身體的存在，所以牠是可以意識到「自己」的。「蜜蜂很清楚牠自己是誰」，孟策教授說。[29]而且要弄清楚這點，牠並不需要群體。

別有用心

說不定你也已經碰巧有過這樣的體驗，那麼你也可以回想一下，試試看能否解開它的密碼。

如果連蜜蜂都知道自己是誰，而且還會計畫未來，那鳥類與哺乳類動物呢？我經常在觀察動物時這樣自問：這些各別的個體，究竟能不能意識到自己的行為？即使在這個領域投注了許多心思，我終究還是個門外漢，要尋求這個問題的答案實在艱難。而且我並不想只倚賴科學的研究報告，而是渴望也能共同經歷到某種動物是如何思考。這點聽起來或許有點誇張，因為像這樣的事，僅靠人類在一旁觀察幾乎不可能得到證實。不過在一次早餐時光的閒聊中，我的孩子卻讓我意識到，或許至少在某個吉光片羽，我已經嚐過了自己一直都想要擁有的經歷。

我所說的，是一隻每天早上都會在馬場草地上等待我們的烏鴉。這隻黑色的大鳥與幾個同伴總是逗留在附近，因此這一帶很可能就是牠的領域空間。可惜獵殺烏鴉一直都未被禁止，導致這種聰明的動物對人類存有很大的畏懼，與人之間通常也會保持著大約一百公尺的安全距離。不過我家草地上的這些烏鴉，在一段時間之後逐漸習慣了我們，似乎認為三十公尺的距離就牠們而言已經足夠——只有一隻日漸溫馴的烏鴉例外。在最好的情況下，牠會允許我們離牠只有五公尺那麼近，而每一次都讓我們感動莫名。

我們總會和牠說話，而牠在草場大門邊那根我們常用來掛東西的橫桿上，也總可以找到我們留給牠的穀物點心。啊哈——飼料！是的，這並非無條件的溫馴順從，這隻烏鴉並不是出於好奇才與我們如此親近，牠知道我們的出現，就代表著一頓美味。不過即便如此，我們還是很樂意每天見到牠，對牠在情感上的回報也不會要求太高，而且這麼做也剛剛好。因為如此，我才得以在那個早晨做了以下的觀察，雖然一開始我只是覺得好玩。

那是十二月的某一天，因為整個星期不間斷的霪雨，草地變得非常鬆軟，我穿著沉重的橡膠雨靴，幾乎每踏出一步都會高高地濺出一堆爛泥。一趟這樣的餵食任務並非總是那麼有趣，特別是當一陣陣的風帶著雨絲猛往臉上颾。沒關係，馬兒已經在等著牠每天固定的穀物早餐，而且眾所皆知，在新鮮的空氣裡活動一下，對筋骨也是有利無弊。為了不讓年輕的母馬一口氣就把老母馬的分量也給掃光，我總是必須等在一旁或出手介入，避免布里姬走到嬉皮這邊不客氣地動嘴開吃。不過通常只要我在一旁坐鎮，這匹年輕的母馬也就懂得要規規矩矩了，因此在牠們享用早餐的那幾分鐘裡，我總有時間可以欣賞一下風景，或者觀察一下那隻烏鴉。

這天早晨牠從附近的一片森林飛來，因為牠早就發現了我在草地上的身影——穿著綠橘相間的夾克且手提白色飼料桶。不過這天牠並不是直接飛到牠一貫的偵察位置，也就是大門邊那條橫桿附近的一根木樁，而是先降落在大約二十公尺外的草地上。我立刻注意到牠嘴裡銜了東西，隨即認出那是顆橡果。這隻烏鴉顯然正想把牠發現的美食藏起來，牠在地上戳出了一個洞，輕巧地把橡果推進去，並猛扯了一撮草把洞口蓋起來。

我正讚嘆著這完美的偽裝，然後看到這隻烏鴉轉身對著我。牠是不是注意到了我一直在觀察牠呢？總之牠立刻把橡果從藏匿處挖了出來，並再度開始在地面上挖起洞來。一個嗎？才不，是好幾個。而且每挖一個洞，牠就會做一次把橡果推進去的動作；一直到最後一個洞時，橡果終於不見了，而這隻大鳥看起來也非常滿意，畢竟牠真的盡心盡力地在蒙混我，想要斷絕我奪走牠心愛美食的機會。直到這時候牠才放心地飛過來，歇息在牠熟悉的橫桿上，好好地享受了牠的點心。

當我事後在早餐時光中描述這個小插曲時，我的孩子馬上說，這豈不是代表著動物也具有遠見的絕佳案例嗎？我在這時候才恍然大悟。這隻動物當著我的面把牠的食物東藏西藏，我起初只覺得好玩有趣，然而僅僅是這個行為，就已經展現出牠了不起的聰明成就！畢竟這隻烏鴉必須能夠思考我可能看見了什麼，而且在我對牠的行動一目瞭然的情況下，還要費心思量怎麼藏橡果才足以成功地誤導我。不僅如此，在我眼前的這隻烏鴉，顯然還經過另外的深思熟慮。

因為即便是烏鴉也只有一定的食量，吃完橡果後牠的飢餓感就會消停。當然之後牠還是可以飛到我留下的穀物飼料那裡，然而帶著已經填飽的胃，牠很可能最後還是會選擇把無法消受的穀物藏起來。不過要把一顆顆穀粒藏起來可是件費勁的事，因此這隻大鳥決定先忍耐一下。牠餓著肚子先把大橡果藏到安全的地點後，再飛到橫桿上來靜享牠美味的穀物餐點。最後牠飛到了鄰近的草地上加入了牠的同伴，但是我很確定一件事，在稍後的某個時刻，牠一定會再去把橡果挖出來。

為了要善加利用免費的點心，這隻烏鴉完美地規劃了牠的時間表；而要達成這一點，牠必須在思維上考慮到未來。這個經驗在我眼中是個美好的激勵，它讓我之後在觀察動物時更加精確，尤其重要的，是更加精確地思考我到底親眼目睹了什麼。天曉得，說不定你也已經碰巧有過這樣的體驗，那麼你也可以回想一下，試試看能否解開它的密碼。

基礎數學能力

更有意思的，應該是動物到底是不是真的會算數？

在《樹的祕密生命》中，我已經提過樹木懂得算數。春天時它們會記住所有氣溫超過二十度的溫暖日子，而且只有當這些數字累計到一定的門檻時，它們才會抽出新芽。如果連這種巨大的植物都具備了計算能力，那動物應該同樣也做得到，這樣的假設聽起來就更合情合理。

沒錯，人類對此的態度是寧可信其有，更是由來已久。一直以來坊間就不乏有關「天才動物」的報導，像是「聰明的漢斯」。這隻種馬據說不僅會拼字，還會閱讀及算數——至少牠的主人馮歐斯特（Wilhelm von Osten）是這樣認為。他在一九〇四年，還成功讓這匹馬轟動柏林。一個由心理學研究機構組成的檢驗委員會證實了這匹馬的能力，然而卻無法找出合理的解釋。不過這個騙局終究還是被揭穿了，關鍵就在於馬主人那幾乎難以察覺的頭部示意動作，聰明的漢斯就是依此來做出反應。而這意味著，只要馮歐斯特從這匹馬的視線裡消失，牠的神奇能力也就會跟著化為烏有。[30]

不過愈來愈多出現在二十世紀末的有力事實，卻證明了許多動物的確是具有數字概念的。雖然這些情境多半與食物有關，而且總是要動物去估算它們分量的大小。對動物做這樣的測試我覺得有點無趣，要在數量多一點與少一點的食物之間去選擇，牠們當然寧願選多——這不是演化過程的必然機制嗎？更有意思的，應該是動物到底是不是真的會算數，不是嗎？

或許透過我家的山羊，我們可以離這個問題的答案稍微近一點。其實發現倍力、小斑點和維托這幾隻山羊腦袋裡可能在想些什麼的，不是我而是我的兒子，因為每當我們去度假時，托比亞斯就會變成負責打理我們這個小小諾亞方舟的人。這些山羊通常在中午時可以享受到一小頓穀物點心，而這顯然是牠們一天當中的高潮；只要點心時間一到，而我們出現在草地上，牠們就會興奮地衝向前來。而每當我們在早晨及傍晚「只」餵養草地另一邊的馬兒時，牠們根本連理都不理我們。

不過托比亞斯有他自己的生活作息，他調整了餵養動物的時間，而且每天都有點不同；譬如有時候他在傍晚時才餵山羊，然後快要入夜時才餵了馬兒的最後一次。因此現在如果他在傍晚時第二次出現在草地上，倍力與牠的一家子會立刻咩咩叫地衝向他，大聲索求牠們的穀物點心——那是托比亞斯這天出現在草地上的第二次，也就是說牠們會期待食物，而這與一天中的哪個時間點無關。

所以，山羊能夠計算次數嗎？對於穀物飼料牠們總是來者不拒，但這次牠們是在一個有點不尋常的時間點提出了要求。牠們知道只有在托比亞斯第二次出現在草地上時，才能得到自己該得的那一份嗎？如果牠們純粹只是貪吃，應該會在每次看到我們任何一個人出現時，都陷入一種許多寵物會有的乞食狀態。但是牠們只會在我們一天三次現身中的某一次出現這種行為，也就是中間那一次。

除此之外，我們其他動物朋友的智能表現又是如何呢？鴉科鳥類的智力與類人猿不分軒輊，早就已經眾所皆知，因此我們或許可以先來看看鴿子的表現。這種動物在許多城市裡，幾乎已經變得跟瘟神沒什麼兩樣，而我也承認，站在月台上，新夾克卻無端被濺上幾滴鴿屎，並不是多美好的經驗——這是我最近才遇到的事。可是「空中鼠輩」這四處流傳的惡名，其實也不是牠應得的。能夠在行人徒步區裡頑強地生存下來，得感謝牠那顆聰明的腦袋。

波鴻魯爾大學（Ruhr-Universität Bochum）的鈞圖昆（Onur Güntürkün）教授，就觀察到一些鴿子的驚人事實。他的同事訓練鴿子辨識有著抽象圖案的圖片。而經過訓練的鴿子，可以辨識出高達七百二十五種不同的圖案表現方式！他們把所有的圖片都先區分成「好的」或「壞的」兩類，然後成對地將它們展示在鴿子面前。用嘴喙輕啄一下「好的」畫作，鴿子可以得到食物；選中了「壞的」，不僅什麼都沒有，還會被留在黑暗中（鴿子無法忍受黑暗）。牠們其實只需記住「好的」畫作就可以了，這應該也足以讓牠們通過測試。然而透過監控，科學家卻確認了這些鳥兒沒有投機作弊，而是實實在在地把一切都記住了。[31]

講到數字，我們的小狗馬克西可以提供一個完全不同的例子，而且這與牠的時間感有關。馬克西夜裡通常睡得既深又沉，可以一覺睡到早上將近六點半，然後牠會開始輕聲低吠，催著我帶牠到外面去解放。為什麼是六點半？這個時間點在我家通常就是鬧鐘響起，全家起床用早餐，然後忙著準備上班上學的時候。然而馬克西似乎內鍵了一個功能絕佳的生物時鐘——雖然總是明顯地快了五分鐘，所以我們其實根本不需要設定鬧鐘。不過一到週末，情況就不同了，我們解除了鬧鐘的設定，全都可以睡到自然醒。是的，**全部**。因為馬克西在週六和週日早上也總是無聲無息安安靜靜，甚至經常睡得比我們還要久。

這是狗兒懂得算數的一個好例證，不過可能有人會提出異議，說這是因為動物會留意並記住我們的行為作息，譬如我們在週末會睡得比較久。然而我們大可排除這種可能性，因為在週間牠總是準時地在鬧鐘響起前把我們叫醒，而那時候我們所有的人都還在睡夢之中；可是一到週末牠卻會停止這麼做。不過牠為什麼要繼續待在牠的小睡籃裡，和我們一樣睡個長長的週末覺，原因至今我們也還是無從得知。

就是愛玩

這就是使我們人類與動物有所區隔的核心能力嗎？

動物能夠感覺到樂趣嗎？可以就只是做些幾乎沒什麼意義的事，然後感到歡喜與快樂嗎？對我而言這是個重要的問題，因為它的答案能夠幫助我們判斷，動物是否只有在完成有助於傳宗接代大事的任務時，才能感覺到正面的情緒（例如交配時的愉悅，而這是為製造下一代所進行的任務）。如果是這樣，那歡喜與快樂的感覺，只不過是一種依本能來運作的行為的附帶產物，目的是要確保並獎勵任務的執行。人類相反地，則有辦法僅是憑著對於美好經歷的回憶，來反覆喚醒與此關連的情緒，從而讓自己感覺到快樂。這裡所說的，自然也涵蓋我們在休閒活動上所獲得的樂趣，就像到海邊度假或是到高山上從事冬季運動。而這就是使我們人類與動物有所區隔的核心能力嗎？

不經意地，我突然想到了那隻會滑雪橇的烏鴉。那是一段在網路上流傳的影片，畫面顯示的是一隻在屋頂滑雪橇的烏鴉。牠利用一個罐頭蓋，先把它拖到屋脊上，在斜面上安置好，然後一躍而上從屋頂的斜坡上滑下來……而且在尚未完全到底時，就已經又飛回高處準備再玩下一局。[32]這麼做的意義是？實在看不出來。那好玩的原因是？可能就像我們跨上一個由木頭或塑膠做成的類似物品，然後從小山坡上飛馳呼嘯而下時的那種快感。

烏鴉為什麼要為一個顯然對牠無用的活動浪費精力？嚴厲的演化規則講求的不是省去所有無益的活動，甚至還會把那些在這方面執行得不夠徹底的物種從競賽中淘汰掉嗎？然而，人類早就已經不再恪守這個看起來似乎是顛撲不破的法則，因為至少在一些經濟較富裕的國家裡，人們有了多餘的精力，而這看來似乎也只能投注在尋求生活的樂趣上。如果一隻聰明的鳥，已經為冬天儲備好足夠的糧食，而且有餘裕把一部分的熱量花在尋找樂趣與遊戲上，牠憑什麼不該這樣過日子呢？顯然烏鴉也懂得將過剩的精力轉化成單純的樂趣，因此只要牠願意，就隨時可以找到快樂的感覺。

至於狗和貓呢？所有與這兩種動物一起生活過的人，對於牠們那種愛玩的天性應該是說也說不完。我家的馬克西就很愛繞著林務站的周圍跑，跟我一起玩著追趕跑跳碰的遊戲。牠知道自己跑起來比我快得多，所以為了不讓遊戲變得太無聊，總是不斷地替我製造機會。譬如說牠會繞著我跑出很大的圈圈，然後中途不斷反覆地來個馬力全開朝我衝過來，而就在我快要摸到牠的時候，又會突然改變方向不讓我碰到。任何人都可以看出來，馬克西有多麼熱愛這種消磨時間的方式。我很樂意回想起這段美好的時光，不過其實我還能舉出其他的例子，來證明動物也懂得享受那些（以正面意義來說）毫無益處的遊戲——因為馬克西說不定只是想透過這種方式來鞏固我們的關係。這麼說來，其實所有在團體裡所進行的遊戲活動，都可以視為是一種社會關係的黏著劑，並且也因此具有演化上的意義。投資在增加凝聚力上的精神，可以形成一種結盟的共同體關係，而這會使群體在面對外來的威脅時，特別頑強且具備抵抗力。

沒關係，就讓我們再來看看鴉科鳥類吧！關於烏鴉如何戲弄狗兒的報導一直很多，牠們會偷偷摸摸地從後面潛行過來，然後在這隻四腳毛獸的尾巴上啄一口。當然，遭受偷襲且立即轉身的狗根本趕不上烏鴉的動作，於是沒多久之後，這隻大鳥會再度展開同樣的小把戲。這兩隻動物之間並不需要產生社會黏著劑，烏鴉也不需要藉此來訓練自己的某種能力，畢竟安全躲開一隻迅速轉身的犬類，並不在牠必備能力的清單上。

不是的，這個遊戲所透露的，似乎是全然不同的訊息：烏鴉顯然完全可以從狗的立場設身處地感受，牠知道狗最終會因為自己總是太慢的動作而惱羞成怒。正因為如此，這個遊戲才會這麼好玩——不斷地挑釁狗，還已經事先對牠可以預期的反應幸災樂禍。而且只要看看網路上這麼多流傳的影片，就知道這應該不會是一種個別現象。

欲望

山羊在每年夏天快要結束時，都會向我們展示一齣場面有點浮誇的求偶大戲。

對於動物來說，性並不是無意識的自發行為。然而，當我們閱讀主題牽扯到「交配」的學術論文時，卻很容易認為它指涉的一定是種毫無知覺感受的過程。荷爾蒙在其中扮演了觸發本能反應的角色，而這是動物無法迴避的。那麼這在人類身上會有所不同嗎？說到這裡，我只想到幾年前在森林裡不小心撞見的一對情侶。

其實我只想過去視察一下，看看是誰把車停在那片灌木叢裡，引擎蓋的後方卻突然冒出了兩張紅通通的臉……這兩個人我都認得，他們就住在隔壁村子裡，而且也都各有婚約（一直到今天都還是如此）。他們迅速穿好衣服，悶聲不響地上了車，隨即消失在我的視線裡。這兩個人顯然都不想危及自己的婚姻，之所以出現在這裡，單純只是想找個偏僻無人的地點來偷歡。雖然這麼做還是有著為個人帶來嚴重後果的風險，但欲望依舊成功地控制了他們。對我來說，這個例子極為適切地說明了人類是多麼容易受本能擺布。

這些行為的觸媒，是一種可以喚醒我們極致享受與快樂感覺的荷爾蒙混合物。但為什麼這是必要的呢？如果生物必須得交配，不是也可以讓它完全就和呼吸一樣不自覺地進行嗎？我們的身體並不需要額外釋放出像毒品一樣的物質，來幫助我們呼吸空氣。不是這樣的，交配已經進入某種特殊行為的範疇，但它之所以特殊，是因為所有的物種在這當中，都會陷入一種無助忘我的狀態。譬如說在動物界中堪稱受虐與施虐狂代表的蝸牛，為了要得到刺激，在猛烈的擁抱中會將殼尖刺入彼此的身體裡；孔雀與松雞的雄鳥，則會先將尾部開展成絢麗的羽屏來吸引雌鳥的注意，然後再跳到牠們身上；相對於昆蟲情侶會緊緊地抓附在對方的背上，公青蛙在愛到最高點時，會把伴侶死命地扣在水中，又有時候母蛙的身上會疊了好幾隻公蛙，因為重量過大又無法脫身，最後會因為困在水中過久而溺死。

至於很多行為都與野鹿相似的山羊，則在每年夏天快要結束時，都會向我們展示一齣場面有點浮誇的求偶大戲。我們的公羊維托會變身為一個徹頭徹尾的「臭」傢伙；為了要取悅母羊，牠會在自己的臉上與前肢灑上有特殊氣味的「香水」——牠自己的尿液。為此牠不僅把這個黃色的液體噴在皮膚、甚至也在嘴巴上，而這種聞起來簡直令人窒息的氣味，對母山羊來說顯然也不失其「效果」。牠們會把頭頂在公山羊的毛皮上使勁摩擦，為的就是要多沾染一些氣味，而這很明顯地刺激了所有當事者的荷爾蒙，使牠們變得熱血沸騰、異常興奮。接下來公山羊會不斷用鼻子檢查，看看母羊是否已經準備好要接受牠，牠會在草地上追逐著母羊，一面伸出舌頭不斷地咩咩叫，老實說這個畫面看起來還真有點荒謬。只要牠的心上人站住了腳，並蹲下來開始排尿，牠就會把鼻子送到這道水柱中，然後用高高翻起的上唇噗哧作響地測試，看看荷爾蒙的狀態是否已經預告了牠的運氣。終於，在忙了許多天之後，公羊維托被賜予了幾秒鐘的快樂時光。

不過，讓我們再回到這個問題：到底為什麼這樣一個由荷爾蒙驅動的情緒獎勵是必要的？癥結在於交配行為可能引發的危機。僅僅是雄性動物經常用來讓自己成為注目焦點的前戲，引誘來的就已經不只是雌性的注意力；是的，不僅如此，對於這些色彩繽紛或大肆喧嚷的訊號，正在尋找戰利品的飢餓掠奪者也非常心懷感激。而且的確有不少各種雄性動物，會就這樣從森林裡正熱鬧上演的求偶秀場中，直接進入了鳥類或狐狸的五臟廟。而這種危險，在交配的過程中還會更加擴大：因為雙方在幾秒鐘，有時候是好幾分鐘的時間裡會緊緊地依附在一起，這使牠們根本很難逃過偷襲。

我們無從得知動物是不是能夠預見交配與產生後代之間的關連，那麼，還有什麼值得牠們冒著生命危險去交配呢？當然只有那種強烈且會讓人上癮的興奮感，可以讓牠們將一切拋諸腦後，無所畏懼地投身於這種享樂之中。因此，我絕對相信動物在進行性行為時有著強烈的感受；而且其實還有另一個非常有力的證據：根據觀察，許多動物都有自慰的行為。不管是馬、野鹿、山貓或棕熊，都曾經被目睹如何用自己的「手」，更確切地說是足蹄，或理所當然地借助樹幹來讓自己獲得滿足。可惜這並沒有太多的報導，更別提相關的研究，或許是因為即使對於人類來說，「性」都是一個禁忌的話題？

至死不渝

渡鴉相對地則有著忠實的靈魂，牠一輩子只會守在同一個伴侶身邊。

我們可以用「婚姻」來形容動物之間的伴侶關係嗎？根據《杜登德語辭典》（*Duden*）的定義，婚姻是一種男女之間法律認可的共同生活關係；維基百科則這樣描述：「……兩個人之間一種主要依法律進行的且穩固的結合形式。」法律上的認可對動物來說當然不存在，但是一種特別穩固的共同生活形式則毋庸置疑。

在這種情比石堅的伴侶關係上，渡鴉的例子可說格外動人。牠是世界上體型最大的鳴禽，而且在二十世紀中期時的中歐地區，幾乎面臨了滅絕的命運。這種鳥當時硬是被扣上了一個罪名，被認為是殺掉草地上的牲口，甚至是牛的凶手；今天大家都知道，這純粹是無稽之談，烏鴉是北方的禿鷹，牠們只會尋找死掉的，或是快要死去的動物為食。然而，當時人們卻對牠進行了毫不留情的追捕，不僅是獵槍，連毒物都用上了。

這種人類與不受歡迎動物之間的戰爭，在歷史上各有成敗。就像人們在二十世紀時，也一度想根絕會傳染狂犬病的狐狸，牠也因此常常只要一現身就會被射殺（直到今天也還是如此），牠的巢穴會被挖掘破壞，待在裡頭的小狐狸則會被砸死；更輕鬆的作法，則是直接將毒氣導入牠在地底下的家。然而，多虧了超強的適應力與繁殖力，狐狸終究還是生存了下來。特別重要的是，牠會替換不同的伴侶交配。

渡鴉相對地則有著忠實的靈魂，牠一輩子只會守在同一個伴侶身邊；就此而言，說這種關係是一種真正的動物婚姻，的確也很公正合理。然而這個事實，在過去這場針對渡鴉所進行的殲滅運動中，卻變成牠們的不幸與災難。因為一對伴侶中，只要有一方被射殺或毒害了，存活下來的通常就不會再尋找新伴侶，從此的天空中，就只有牠寂寞盤旋的身影。這些形單影隻的渡鴉，自此對於繁衍下一代當然也沒能再有貢獻，而這顯然會更加速整個族群的滅絕。

不過今非昔比，如今渡鴉名列在受嚴格保護的物種名單中，終於可以再度在牠原本的生活空間裡四處分布繁衍。我還記得早年跟孩子們在瑞典的旅行，在我們划著獨木舟畫過寂靜的海域時，渡鴉不時傳來的一聲聲呼喚，使我異常著迷。因此幾年前當我第一次在胡默爾小鎮的林區裡聽到這個聲音時，那種興奮與激動簡直難以形容！從此，這種動物在我眼中就成為了一種象徵，代表大自然有能力從人類的罪行中再度自我修復，而環境的破壞也不必然就是條不歸路。

一夫一妻制的動物其實並不罕見，特別是在鳥類當中，就有一些即使不像渡鴉那麼忠貞，但卻也十分類似的鳥種。白鸛就是如此，牠們至少在每一個孵育季節裡都不會更換伴侶；然而白鸛在這個季節過後，就只會對自己的巢忠誠，這也是為什麼牠們最後通常還是會找回原來的伴侶，因為彼此在隔年春天從南方回來時，都會不約而同地飛向自己的老窩。可是就像一位在海德堡動物園裡服務的同事曾經分享過的，有時候這個過程也會出差錯。一隻公白鸛在春天時與一位新伴侶築了個巢，牠的舊情人顯然在路途迢遙的遷徙過程中失去了蹤影；然而，就在牠們享受著親密愜意的倆人世界時，這個過去的伴侶突然又出現了，現在這隻公鳥就面臨了大麻煩。為了要公平對待兩方，牠築了第二個巢；然而必須同時照顧兩個家庭，在在使牠力不從心、疲於奔命。[33]

不過，為什麼不是所有的鳥類都如此忠實？而這裡所謂的「忠實」，又意味著什麼？山雀科或其他的鳥類不存在終身的伴侶關係，並不意味牠們就是不忠實的傢伙。只維持一季關係的原因，是在於牠們的平均壽命。相對於渡鴉即使在野外的（意即危險的）自然獵區裡壽命也可以超過二十年，其他的鳥種，特別是多數的小型鳥種，則是經常不到五年內，生命就已經宣告終結。如果牠們現在也想建立起終身的關係，而另一半的「折損機率」卻很高，很快地在整個區域裡活動的會多數都是形單影隻的獨身鳥。這種現象對於維持物種的存續極為不利，因此每年春天在「誰愛誰」的配對遊戲裡，都要重新擲一次骰子。此時，大家當然也心知肚明，有誰在經歷嚴酷的冬天與遷徙後生存了下來；為不再出現的伴侶服喪守貞，就白頰山雀和知更鳥來說，應該是不可能的。

至於哺乳類動物呢？像渡鴉那樣的婚姻關係，只會出現在少數的個別案例裡，譬如河狸。河狸會自己找一個終身的伴侶，最久可以共同生活長達二十年；牠們的孩子甚至也不搬家，就這樣一直與父母親舒舒服服地住在水邊的地下堡壘裡。

而在此之外的大部分哺乳類動物，似乎都有著「關係失能症」的傾向——至少在兩性關係上。例如在紅鹿的世界中，一向只有強者才能掌控權力；如果一隻暴躁凶猛的公鹿驅趕了牠的對手，接下來就可以與一大群女眷盡情享樂，直到自己也被一個更強壯威猛的同類取代。而母鹿顯然對此絲毫不以為意，當一些色膽包天的年輕公鹿趁著領頭公鹿不注意時來到牠身邊，母鹿也會欣然與牠們耳鬢廝磨。再說，養育幼鹿本來就純粹是女方的事，因為此時牠們的父親，早就與一幫雄性同類在森林裡四處遊蕩了。

請問尊姓大名

每隻松鼠都能發出獨具特色的聲音，而這種天生的獨行俠就是靠它來分辨彼此。

與對方面對面交談直接溝通，在我們眼中是理所當然的事。當群體規模較大時，個人姓名更是與特定對象建立連繫時不可或缺的一部分，因為他人可以藉由這個稱呼，來獲取我們的注意力。不管是透過電子郵件或者 WhatsApp，是打電話連絡還是面對面談話，少了這種直接的稱呼根本就行不通。曾經碰過面聊過天的人，再次見面時卻記不起他的姓名，我們通常到了這時候才會特別意識到名字到底有多重要。然而，幫每個人都取上名字，是人類獨有的習慣，還是動物界裡也有這樣的現象？畢竟所有的社會性動物都必須面對相同的問題。

在哺乳類動物的世界裡，有一種形式簡單的命名方法，存在於母親與孩子之間。母親會發出帶著自己特色的叫聲響，孩子則會認得這聲音，並以嘹亮的叫聲做出回應；然而，這真的是在呼喚對方的名字嗎？亦或只不過是一種對彼此聲音的辨識？可以確定的是，這種特別存在於母子之間的「喚名」現象，似乎會隨著時間逐漸消失。當這些新生的動物長大斷奶，牠們的母親對此就不會再有任何反應。一個只有自己喊著卻沒人回應的名字，具有任何意義嗎？像這樣只具有暫時重要性的呼喚聲，到底稱不稱得上是「名字」？

不過，即使我們不把這些叫聲看成是名字，動物界中還是真實存在著擁有自己名號的例子，而且一點都不令人意外，案主仍然是渡鴉。因為牠們不僅在親子夫妻之間，連與朋友都維持著一輩子的關係，這種緊密的內在關係，就是回答我們這個問題的理想背景。

當人想要隔著一大段距離彼此溝通，而且特別是確認身分，最好的方式當然就是呼喊對方的名字。渡鴉這種黑色大鳥精通八十多種不同的叫聲，這也就是渡鴉的辭彙，其中還包括一種可以向同類告知自己到來，且具個人辨識性的叫聲。這可以算是種真正的名字嗎？從人類使用名字的意義來說，只有當其他烏鴉同樣也以這個具有辨識性的叫聲來「稱呼」發話者時，這個答案才是肯定的，而渡鴉確實是這樣。[34]

即使失去了連絡，牠們依然可以在許多年之後記得同類的名字。當有舊識出現在空中，並遠遠地報出了自己的名字，其他同類回應牠的方式可能會有兩種：如果這久違的浪子是往日的朋友，回喊的音調會顯得較為高亢且友善；然而歸來者若是個人緣很糟的討厭鬼，回應的聲音則會既粗糙又低沉；順便一提，對於我們自己，也有人做了類似的觀察。[35]

要找出動物彼此互取的名字很難，但若是以固定的名字來呼喚牠，並觀察牠是否有反應，則要容易許多。然而這出現了一個難題：我們要如何才能知道，當我家的馬克西聽到牠的名字時，並不只是把它理解成像「哈囉！」或「來這裡！」呢？或許得同時面對著好幾隻狗時才有辦法比較，但是現在，我想再回頭來談談我們聰明的豬。

因為有科學家就針對此項特質，在這種鬃毛動物身上進行了詳實的研究。而研究的起因，則是源於現代化養豬廠裡層出不窮的推擠踩踏現象。在以往的畜欄裡，豬的食物總是被倒在長條形的飼料槽中，因此所有的動物都可以同時進食。然而，今日每一隻豬的飼養，幾乎都是以全自動及電腦輔助的方式來進行；這樣的設施非常昂貴，因此在配備數量上也經常不足，無法讓豬欄裡所有的豬同時獲得食物。於是牠們必須排隊取食，而一隻隻飢腸轆轆的豬，和我們一樣會變得耐性全失。牠們會在長長的隊伍中互相推擠衝撞，有時候甚至會因此受傷。

為了讓整個過程可以再度有秩序地進行，佛里德里希．洛夫勒研究院（Friedrich-Loeffler-Institute），更精準地說是其中的「家豬工作組」的研究人員，在一個位於下薩克森邦梅克倫霍斯特的實驗農場裡，想要教會這些動物「用餐禮儀」。在這裡他們讓每八到十隻一歲多的豬仔組成一個小班級，並訓練牠們熟悉自己的名字；而這些小傢伙們特別記得住的，是有著三個音節的女性名字。經過一個星期的訓練後，這些小豬又回到了豬欄中較大的群體裡。

現在緊張時刻到了：在發放飼料時，每隻輪到的小豬都會被個別唱名，而這真的有用！當像「布倫希爾德」這樣的名字從擴音器裡響起時，就只有名叫「布倫希爾德」的小豬會立刻跳起來衝到飼料槽邊，而所有其他同類則會繼續進行自己的活動，對許多小豬來說，這也就是打瞌睡。牠們的心跳頻率並沒有被量到有升高的現象，只有被叫到名字的小豬會脈搏加速。根據報告，這個新系統可以把秩序與平靜重新帶進畜欄裡，而且有高達百分之九十的成功率。[36]

不過這個激動人心的發現，真的具有更深厚的意義嗎？要了解一個特定名字與自己有所連結的事實，前提是必須先擁有「自我意識」，而這在層次上又比單純的「意識」高一階。相對於後者只是將思考過程進行意義的詮釋，自我意識指涉的則是對於自我人格，也就是「我」這個主體的認知。為了要測試動物是不是擁有這樣的能力，科學家想出了「鏡子測試」的方法。

只要是可以認出眼前鏡子裡呈現的影像不是同類而是自己的生物，應該都具備思考自身的能力。發明這個方法的人是心理學家蓋洛普（Gordon Gallup），他先在一隻麻醉昏迷的黑猩猩額頭塗上顏色記號，接著在這動也不動的猩猩前放上一面鏡子，等著觀察牠醒來之後的反應。結果黑猩猩才不過剛剛微睜著牠疲倦的雙眼，看見一個跟自己一模一樣的影像，就已經開始摸著這個記號想把顏色抹掉。顯然牠立刻明白，那個從閃著亮光的玻璃裡往外望的傢伙就是自己。從此之後，這個測試成為一種指標，通過測試的動物也就等於得到了擁有自我意識的證明。順便一提，人類的小孩至少要約莫十八個月大才能通過此項測試。而在那之後，類人猿、海豚和大象也都通過了這項考驗，並且自此被研究者另眼相待。

比較令人驚訝的，是像喜鵲和渡鴉這些鴉科鳥類，也能辨識出自己的鏡中影像；在此同時，這幾種鳥也因為牠們聰明的腦袋而被稱為「空中猿猴」。[37]不過就在這個發現日益久遠，並且都沒什麼新的進展時，豬的報導突然出現了。是的，豬也成功地通過了這個測試。只可惜「大規模動物飼養界猿猴」這樣的名號尚未建立起來，要不然人類怎能一直到今天，都還是以如此冷酷無情的方式來對待這種動物？這種聰明的動物也感覺得到痛，卻從來沒被承認過，一直要等到二〇一九年，德國才會全面禁止不施麻醉閹割動物，在此之前，人們還是可以合法地不用麻醉閹割不過幾天大的豬仔。當然，這麼做既快速又省錢。

顯然豬對於鏡子的理解，不僅是在於可以用來觀看自己的身體。劍橋大學的布倫（Donald M. Broom）教授與團隊，先把飼料藏在一個障礙物後面，然後再讓豬站在牠只能從面前的鏡子裡看見飼料的位置。在接受測試的八隻小豬中，有七隻不過用了幾秒鐘的時間就理解了，只要轉身並走到障礙物後面，好吃的東西便立刻入口。要做到這點，牠們不僅必須能夠認出鏡中的自己，還必須能夠思考周遭環境與自己所在位置間的空間關係。[38]

然而，我們也不應該過度高估鏡子測試的結果，特別是對於那些沒能通過測試的動物。譬如說當我們同樣也在狗的身上點上顏料，而牠在看到鏡中自己的影像後對此卻毫無反應，這很可能也不代表任何意義。因為我們怎麼知道，說不定牠根本完全不在意臉上出現了斑點？況且如果在意，或許牠也會因為對鏡子不怎麼感興趣，而只把在這裡面看到的，當成是一幅彩色圖畫或頂多是電視裡播放的影片。

讓我們再回到取名字這個主題，為此那些加拿大的小松鼠得再上場一次：因為在對於動物是否有領養行為的研究中，這種樹上的小精靈被確認了只會接受與自己有親屬關係的幼仔，但牠們是如何得知誰才是自己的姪兒女或孫兒女呢？加拿大麥基爾大學（McGill University）的研究人員推測，成年松鼠發出的聲音是決定性因素。每隻松鼠都能發出獨具特色的聲音，而這種天生的獨行俠就是靠它來分辨彼此。松鼠的領域很少重疊，牠們難得碰面，因此要想辨識彼此就只能靠聲音。更令人驚訝的是，一旦親人的叫聲消失了，有些松鼠甚至會動身尋找，如此一來，牠就勢必得離開自己的領域並闖入陌生的環境中。這樣的行為是出於擔心嗎？這目前還只是臆測，然而當牠在搜索中遇上了親人的遺孤，就會接手照顧這些無助的小傢伙。

就和許多其他領域一樣，這方面的科學研究才剛起了個頭。「取名」是溝通過程中的進階行為，如前所述，許多動物確實很擅長溝通。連據稱是啞巴的魚都不落人後；可惜至今我們知道的，是只有在尋找另一半或捍衛自己領域的時候，魚兒才會讓聲音派上用場。

悼念之情

只有透過悲傷與悼念，才能完成真正的告別。

野鹿是合群的動物，牠們在團體裡覺得特別安適自在，所以總是喜歡成群結隊。不過這其中存在著某種程度的性別區隔：公鹿在兩歲大後會變得容易焦躁不安，並且會漫遊到較遠的地方去。在那裡牠們會與其他同性集結在一起，然而只維持著一種鬆散的關係。晚年時牠們的性情會變得孤癖，喜歡形單影隻，頂多偶爾能容忍一隻較為年輕的鹿逗留在自己附近，而這隻似乎在陪伴老將軍的鹿，也因此常被獵人戲稱為「隨從副官」。

相較之下，母鹿的性情則明顯穩定許多，牠們會組成固定的生活群體，由一隻見多識廣的老母鹿來帶領。在這個群體中，前輩們所留下的知識與習慣會繼續傳承給年輕的母鹿，譬如說哪裡有著好幾十年歷史的長途遷徙步道，只要沿著步道走，鹿群就可以抵達長滿柔嫩青草的原野或是能擋風遮雨的避冬處所。遇到危險時，這些膽怯驚慌的動物，也會以牠們的領隊馬首是瞻：身為老前輩，對於類似的狀況與可能的攻擊者牠都還記憶猶存，因此牠是最可能知道該如何反應的成員。而這種危險，並不盡然只來自其他動物的掠奪，舉例來說，我就經常可以觀察到野鹿群因為人類的圍獵捕殺，而不得不離開一個狩獵區。傳統上，獵人會以號角為狩獵吹響序曲，這個曲調對於集結在廣場上蓄勢待發的獵人來說，有著溫暖且振奮人心的效果；然而對於領隊的老母鹿來說，它卻是個啟程動身的信號。這點也證明了，即使一年過去，野鹿還是能夠記得某個單一的曲調。

除了年歲與經驗，領隊的母鹿還必須育有後代以證明自身的資格。身為領隊，必須能夠為自己、也為他人承擔起責任，這被認為是一個不可或缺的條件。有些野生動物研究者，傾向於把一群野鹿追隨某個特定對象的行為解釋為偶然，他們認為野鹿素來喜歡成群結隊，而既然身邊有一隻年歲稍長的母鹿帶領著孩子，牠們會盲目地乾脆就加入這個小群體，反正至少已經有兩隻同類往同一個方向跑。

不過我相信，鹿群成員極有可能察覺得到這隻走在前方的母鹿經驗特別老道，因此為了群體的利益，牠們決定由牠來帶領大家。然而這時專家又會提出異議，他們認為年歲較大的動物本來就特別有警覺心，所以在遇到狀況必須逃離時，也會最快做出反應，因此如果其他同類基於安全因素決定跟隨，這也是在所難免。言下之意就是認為這只是出於被動，這隻老母鹿並非真正的領導。40

不過這種說法無法令我信服。雖然那種為領導地位爭奪得你死我活的現象，並不存在於母鹿之間，群體中的位階順序也隱而不現，但如果說這一切都只不過是偶然與巧合，那麼這些動物選擇跟隨的對象，理應也要經常視情況而改變。畢竟就算是一隻特別容易受驚的母鹿，即使年輕且缺乏經驗，也可能會因為過分神經質而一馬當先衝在最前頭。然而真正的領袖，會透過另一種截然不同的特質突顯出來，也就是不輕易失去冷靜與鎮定。因為愈容易陷入恐慌，就愈少有時間進食，也會愈難獲得足以維持生存的能量。

所以隨著年齡增長的經驗與智慧，才是老母鹿在鹿群悄然成形的共識裡變成領袖的原因。然而天有不測風雲，有時候像孩子夭折這樣的厄運，也會降臨在領頭母鹿的身上。過去小鹿夭折的原因，不外是疾病或是餓狼；但在今天，卻經常是起因於躲在矮樹叢中獵人的一記槍響。遭遇這樣的不幸，野鹿的心理反應過程其實跟我們沒什麼兩樣：先是難以置信的混亂困惑，隨後湧現的則是悼念與悲傷。悼念與悲傷？野鹿真的具備這樣的情緒嗎？事實上，牠們不僅能夠，牠們甚至「必須」這麼做：因為只有透過悲傷與悼念，才能完成真正的告別。母鹿與孩子之間的連結是如此緊密，永遠都無法瓦解。因此母親一開始只能夠慢慢地試著理解孩子已經死去的事實，而自己終究必須留下牠小小的軀體離開。在這段時間裡，她會不斷地回到事發地點，並聲聲呼喚著小鹿，即使小鹿的身體早就已經被獵人帶走。

然而一個沉浸在悲傷中的領隊，卻會危及整個群體的安全；因為牠徘徊在孩子死去的地點不願離開，這也意味著危險就在牠們附近。牠應該要領著鹿群到另一個安全的地方去，不過與孩子尚且割捨不掉的關係，卻讓牠無法放下。毫無疑問，在這種情況下鹿群必須更換領隊，而新領隊的產生並不需要透過階級鬥爭。很快地，另一隻經驗幾乎同樣老道的母鹿會活躍起來，接過帶領整個鹿群的任務。

假若這齣發生在母鹿身上的悲劇逆轉，也就是死去的是母親，被留下的則是孩子，那麼這隻小鹿接下來必定命運多舛。牠幾乎不可能被收養：或許因為野鹿們希望能夠馬上全面改朝換代，這隻失恃的小鹿，經常會被驅逐於群體之外。落單幼鹿的生存機會極為渺茫，絕大多數都無法熬過接下來的寒冬。

羞愧與懊悔

自私鬼在哪裡都不受歡迎，即使在鳥類的世界裡也一樣。

我其實從來就不想養馬。在我眼中牠們過於巨大和危險，至於騎馬，我壓根兒也不感興趣——好吧！至少直到我們買了兩匹馬的那天為止。有馬兒共度的人生是米利暗長久以來的夢想，況且在我工作居住的林務站附近，要租塊草地來養馬也是輕而易舉。所以，當離我們只有幾公里遠的地方有飼主想要賣掉他的馬時，那個實現夢想的最佳時機似乎來臨了。

嬉皮是六歲大的奎特種*母馬，而且已經受過騎乘訓練，牠的朋友布里姬是四歲大的阿帕盧薩種**母馬，經診斷患有背疾，故被認為不適合騎乘。這對我們來說簡直是再合適不過了：兩匹

譯註

* 奎特馬（Quarter）是美國的馬種，因常作為四分之一英哩的賽馬而得名。

** 阿帕盧薩種（Appaloosa）是美國常見的馬種。

馬是一定要的，因為群居動物絕對不應該單獨飼養；而其中只有一隻能夠騎乘，對我來說也是恰恰好——這麼一來，我就可以順理成章地不用騎馬了。

不過世事難料，一切與我的設想都不同。我們的獸醫檢查了這兩隻馬，並且下定結論：布里姬的健康根本完全沒問題！所以說，如果牠也可以接受騎乘訓練，我還有任何必須反對的理由嗎？當然沒有。於是在一位騎馬老師的指導下，我與牠一起開始了學習與訓練的課程。騎馬，以及更重要的是每天餵養，使我和牠之間變得異常緊密，這讓我的恐懼感完全消失無蹤。我更從中學習到了馬兒有多麼敏感，以及牠們如何對於再怎麼不起眼的暗示都能夠有所反應。例如只要米利暗或我有點兒心不在焉，或是沒有動點怒氣發威，牠倆就會把我們的命令當作耳邊風，或是在吃飼料時肆無忌憚地推擠成一團。

騎馬時，牠們的行為表現就完全反映出這點：只要從你身體緊張的程度，這種動物就可以判斷出要不要把你給的指令（譬如把身體的重量稍微往你想去的方向挪動一下）當成一回事。不過在這段時間裡，我們同樣也很仔細地觀察了嬉皮和布里姬，而且除了學習到如何與馬兒相處外，更發現了牠們擁有廣泛且豐富的情緒光譜。

譬如說馬兒似乎有著十足十的正義感，這在許多情況下都會顯露出來，在餵食的過程中則特別強烈，這其實也很容易理解。以嬉皮如今二十三歲的高齡，已經無法充分地消化與吸收青草，如果我們不採取因應措施，牠一定會日漸消瘦。於是每天中午牠都會得到一大份額外為牠補充營養的穀物飼料，而比牠年輕了將近三歲的布里姬當然也看到了——牠會突然變得十分情緒化，不停地跺腳轉圈，並把耳朵往後拉直（一種需要防備的威脅姿態），簡單地說，牠生氣了。我們只好也在草地上給布里姬一把灑成長長一列的穀物，這樣牠忙著把穀粒從草地裡舔出來的時間，會剛好跟牠的老朋友吃完飼養槽裡比較大份的穀物所需的時間一樣。然後這個世界在布里姬的眼中，才算重新恢復了正常。

在訓練時我們也可以觀察到其他類似的現象。能夠在這個小小的騎馬場上活動，這兩匹馬兒顯然都覺得充滿樂趣，不過好玩之處並不是因為可以活動身體——牠們一年到頭總是在大片草地上東奔西跑，所以活動量完全是足夠的。讓牠們樂在其中的，是我們在練習各種跑步方式時對牠們的關注，以及每當牠們順利完成某項動作時所得到的讚美與撫觸。

在與這兩匹馬相處的過程中，我們還注意到了另一種情緒活動：這種動物明白羞愧的感覺，而且也是在面臨與人類相似的處境時。地位較低的布里姬雖然也已經年過二十，但牠的行為舉止，有時候卻跟滿腦子只有荒唐念頭的毛頭小子沒什麼兩樣。譬如說牠會不遵照指令立刻來到我們身邊，反而故意先在草地上再奔馳個一回；或者會試著挑戰我們，在還沒有聽到「開動！」的指令前就自顧自地吃起東西來。當然，為此牠必須得到懲罰，比方說在牠還沒學乖之前，我們會讓牠多等一下才放飼料。其實牠通常都可以輕鬆地面對責備，可是如果比牠年長的嬉皮在一旁觀看著，情況就會有所不同。牠會有點難為情地別過頭，並且突然開始打起哈欠。我們其實都可以清楚地看出牠有多尷尬，或者更正確地說：布里姬覺得自己丟了面子！

仔細想想我們在遇到類似情況時的反應，就會注意到羞愧感的產生，的確通常需要有另一個人在場，才有可能讓人感到尷尬。顯然馬跟我們的情況並沒有什麼兩樣，而且我認為，在許多社會性動物的身上也都可以發現同樣的情緒反應。關於動物為何會出現這種感受的真正原因，可惜尚未有人探究，不過我們至少可以從人類的角度出發，來想像「羞愧」的感覺到底因何而生。

通常是當事人違反了某種社會規則，他會滿臉羞紅、眼簾低垂；簡單來說，他發出了「知錯服從」的訊號。而群體內的其他成員目睹這種窘態後，多半會產生同情心，接著可能會原諒這個違規者。所以到頭來，羞愧感其實結合了自我懲罰與寬恕的作用。人類經常否認動物也具有「羞愧感」，因為要感受到這種情緒，前提是得具備思考自己的行為及影響他人的能力。[41] 可惜至今我還沒聽說過與這個主題相關的研究，不過有一種與羞愧感類似的情緒，倒是可以找到相對應的研究報導，那就是「懊悔」。

每個人的一生中，會多常懊悔自己做錯了某個決定？懊悔的感受，通常可以讓我們免於再犯同樣的錯誤；而這其實很有道理，因為人可以省下精力，避免在危險或無意義的行為上重蹈覆轍。如果真是這樣，想看看動物身上是不是也可以找到這種感受的想法，自然也就合情合理。為此，美國明尼蘇達大學明尼亞波利斯校區的研究人員觀察了老鼠。

他們為這些小動物蓋了一條特別的「美食街」，從它的四個入口可以分別進入不同的「餐廳」。每當一隻老鼠進入某間餐廳時，有一種聲音便會響起，而且隨著等待食物的時間愈長，它的音調就會愈高。接下來發生在這種小嚙齒動物身上的事，跟我們人類很像：有些會終於耗盡最後一絲耐心，無法再繼續忍受下去，然後抱著隔壁的服務說不定快一些的希望，換到另一間餐廳。然而，有時候下一家的等待時間卻更長，聲音也更尖銳，於是老鼠會以渴望的眼神望向前一家餐廳，但同時卻也會下定決心，不再轉換目標，並願意花久一點的時間來等待。

其實人不也是這樣嗎？舉例來說，當我們在超市等待結賬時，從一條大排長龍的隊伍換到另一條，但卻發現自己做錯決定時，我們多半也會有類似的反應。在老鼠的例子中，研究人員還在牠們腦部發覺了其他的活動，而它活動的模式，跟我們把已經發生的狀況在腦袋裡重演一次時非常相像。就是這點，使「懊悔」與「失望」這兩種情緒產生了差別：相對於後者是出現在當人沒有得到期望的東西時，懊悔則是發生在人另外理解到了自己其實可以有更好的決定或選擇的時候。而如同這個案例中的研究人員史坦那（Adam P. Steiner）與雷迪希（David Redish）

所認定，老鼠顯然確實具有懊悔的感覺。[42]

如果連老鼠都可以表現出這類感受，那麼轉而在狗身上找找是否也具有這種情緒反應，不是應該更合理嗎？畢竟幾乎所有養狗的人都能夠證明，牠們犯錯時也會表現出後悔與遺憾，並且在遭受責罵時，會露出一張典型的可憐兮兮的狗臉。每當我家的馬克西做錯事並被我責備時，牠也完全了解這是怎麼一回事。牠會略顯尷尬地歪著頭仰望著我，似乎覺得一切都無比地難堪，並希望得到我的原諒。的確，有研究者就檢視了狗的這種行為，美國德州農工大學（Texas A&M University）的畢弗（Bonnie Beaver）教授做出了結論：狗那種典型的讓人不忍苛責的眼神，事實上是被訓練出來的，因為牠學到了當主人責罵自己時，期待看到的是什麼。也就是說，讓牠有所反應的，是主人的責備，而不是自己的罪惡感。

紐約巴納德學院（Barnard College）的學者霍洛維茲（Alexandra Horowitz）也得到了同樣的研究結果，她讓十四位飼主分別把自己的狗留在房間裡，裡頭放有一整碗狗兒愛吃的小零食，然後飼主要嚴厲地告誡他們的狗兒，什麼都不准碰。結果雖然有一部分的狗並未違背主人的命令，但是一旦主人責備牠們，幾乎所有的狗都會立刻換上那種典型的無辜眼神與表情。[43]不過這也不必然意味著，狗兒這麼做只是為了讓人覺得牠很抱歉，如果對牠的責備能夠在錯誤發生的當下進行，我們的四腳毛孩子還是有辦法把這種反應與自己的行為連結在一起；而牠的眼神，或許真的就表達出了我們假設牠有的那種悔意。

讓我們再回到正義感上，動物世界裡會有這種情緒的當然不只有馬。既然共同生活在一個社會群體中，一切就必須公平公正地進行；而其中的每個成員，都應該要能享有同樣的權利——這是《杜登德語辭典》裡對於「公平正義」這個詞所下的定義。沒有公平正義的社會很快地就會積怨累累，而這種不滿如果又被進一步挑動，就可能會衍生出暴力。在人類的社會中，法律維護了所有人的機會，至少我們是這樣認為的；然而人與人之間每天相處時產生的感受，在作用上其實要比法律還更強烈得多，就像犯錯時油然而生的羞愧感，以及做對時浮現的愉悅感。要不然在我們自己家裡的四片牆內，公平正義的原則要如何運作呢？

前面我已經提過了我家的馬懂得羞愧的感覺，也就是擁有正義感。當然，這個觀察結果並沒有經過科學驗證；不過，倒是有人對狗做了這樣的研究。維也納大學朗厄（Friederike Range）教授的研究團隊讓兩隻彼此認識的狗坐在一起，牠們只需要執行一道很簡單的命令：「握手！」接下來狗兒會得到不同的獎勵。有時候牠們會得到一小塊香腸，有時候只是一塊麵包，有時候卻可能什麼都沒有。一開始，研究人員會用同樣的遊戲規則對待這兩隻狗，一切就太平無事，牠們也都很聽話地配合。不過，為了要製造出嫉妒這種情緒，就要讓兩隻狗分別遭受不公平的待遇。

例如雖然都舉起了手，但卻只有其中一隻得到獎賞，另一隻則什麼都沒有。會加劇這種不平衡的是一隻得到麵包，另一隻得到的卻是香腸。遭到差別待遇的狗會懷疑地盯著身邊的伙伴吃得津津有味；不論是只有一方得到獎勵，或是一方的獎勵優於另一方，牠終究會在某個臨界點覺得受夠了，接下來牠會拒絕合作以示抗議。但如果讓狗單獨進行這項測試，因為沒有對象可比較，牠就可以接受完全沒有獎勵，並且會繼續配合下去。有關這種嫉妒與差別待遇的情緒反應，迄今為止，研究人員只另外觀察過猿猴。[44]

渡鴉對於公平與否，也有著強烈的反應。有學者在試驗中證實了這一點，雖然他們原本的研究目的，是想要了解渡鴉在合作與使用工具的能力。研究人員在柵欄後的一片板子上放了兩塊用線串在一起的乳酪，而線的兩端，則分別穿過柵欄拉到兩隻渡鴉面前。只有當這兩隻大鳥同時小心地拉動線頭時，這令人垂涎的點心才有可能移動到牠們可及的範圍內。

不用說，這種聰明的動物很快就了解該如何完成任務，如果合作的對象是彼此喜歡的伙伴，試驗的效果也會特別好。不過在與其他搭檔合作時，卻也會發生在乳酪成功到手後，其中一隻卻把兩塊戰利品都一口氣給獨吞了。那隻空手而歸的大鳥會牢牢將此銘記在心，從此拒絕再與這個貪心的傢伙合作。自私鬼在哪裡都不受歡迎，即使在鳥類的世界裡也一樣。[45]

同理心

同樣身為群體動物，牠當然也搭上了這一條船。

姬鼠是森林裡最常見的哺乳類動物，同時也是這類脊椎動物中體型最迷你的。牠們長得十分可愛，但是因體型太迷你而不容易觀察，因此對許多健行者來說並不具有吸引力。不過，究竟有多少這種迷你小老鼠，整天忙碌地穿梭在林下的矮灌木叢中呢？只有當我在森林裡等著約好的客人，通常是那些對樹葬有興趣的人，然後在一段較長的時間裡安靜地站在某個地方時，才會注意到。

姬鼠是不挑嘴的雜食性動物，夏天牠們在老山毛櫸樹下的生活，根本是快樂似天堂。那裡有吃不完的嫩芽、昆蟲和其他各式各樣的小生物，可以讓姬鼠輕輕鬆鬆地養兒育女拉拔牠們長大。然而，冬天終究會來，為了至少不要凍僵，牠們把家安置在一根巨大雄偉的樹幹下，也就是許多大樹支柱根突起的地方。這個位置會形成天然的小洞穴，只要稍加擴建就是理想的窩；

好幾隻姬鼠會一起住在這裡，牠們是喜歡群居的動物。

當森林的地面一片白雪皚皚時，有時候反而更能讓我發現某些蛛絲馬跡。例如雪地中一排朝著山毛櫸樹樹幹而去的獸爪足跡表示有一隻鼬走過了這裡，而鼬在早餐時最愛點的菜就是老鼠。這排足印停在了樹根底部的小洞穴前，現在人人都可以清楚地看到，這裡曾經多麼激烈地被刨挖過。不僅小老鼠的存糧散落一地，有時候連裡面的房客都可能會丟掉性命。

其他劫後餘生的老鼠，要如何是好？牠們只是單純地感覺到了對於鼬鼠的恐懼，還是也意識到牠們其中之一可能要遭殃？根據加拿大蒙特利爾的麥基爾大學的研究，答案顯然是肯定的。他們的確發現了某些跡象顯示這種小型哺乳動物也能夠產生同理心，而這是學術界第一次在非靈長類動物身上確認了這種情緒反應。不過他們在實驗中所使用的方法，可是一點都不具同理心。

研究人員在老鼠小巧的足部注射了一種酸，這會為牠們帶來痛苦。另一種引發痛苦的手段，則是把老鼠敏感的身體部位壓在加了熱的板子上。結果顯示如果這些小動物之前曾經目睹其他同類遭受類似的折磨，那牠所感受到的疼痛強度，會比在沒有心理準備就被折磨時高出許多；相反的，如果有一隻狀況稍好的老鼠陪在身邊，則會幫助牠更能忍受疼痛。除此之外，老鼠彼此認識的時間長短也十分重要；根據研究，當牠們相處的時間多於十四天時，這種同理心的代入作用就會很明顯——對於活躍在德國森林裡的姬鼠來說，牠們幾乎都經歷過這種長時間的相處。

然而，老鼠之間是如何溝通的呢？牠們怎麼知道自己的同類剛剛是不是吃盡了苦頭，而且在內心經歷了地獄般的感受？為了找出答案，研究人員試著把老鼠的各種感官認知可能性，也就是視覺、聽覺、嗅覺與味覺，都一一輪流地阻斷。雖然老鼠一般習慣透過氣味來相互理解，在危急時也會發出尖銳刺耳的超音波叫聲，但在同理心的案例中，研究人員驚訝地發現，牠們心中那種移情作用的觸媒，可能是同類正在遭受折磨的那幅景象。[46] 因此當一隻鼩冬天時從姬鼠在樹根下的舒適巢穴裡硬是拖出一隻受害者，其他倖存者必定同樣也在心裡經歷了極其可怖的幾秒鐘。這種同理心可以維持多久呢？我在雪地裡發現鼩鼠足跡的當下，在巢穴裡的那些小傢伙之間，是不是還有著同情和餘悸交織的騷動情緒？答案我還無從得知。

不過一個團體裡的新加入者，也就是尚未真正融入這個群體的新成員，在面對同類時又會如何表現同理心？強度顯然會減弱許多，而且同樣根據麥基爾大學研究人員的發現，老鼠在此過程中的反應，令人訝異地與人類並沒有什麼兩樣。他們檢視並比較了學生與老鼠在移情行為上的表現，然後得到此一結論：對於家人和朋友產生的同理心，明顯地會比對陌生人強烈。而所有接受測試的對象，都顯示了其原因是緊張或壓力——情緒緊繃的個體，對於同類的痛苦比較會傾向冷靜處理。在這裡緊張或壓力的來源經常就是陌生人，一般人在接觸到陌生面孔時體內會產生一種叫「皮質醇」的荷爾蒙；在一個對照試驗中，研究人員用藥物抑制了學生和老鼠體內皮質醇的分泌，結果兩者的同理心都再度增強了。[47]

在移情作用的主題上，我們的家豬當然也不會缺席。瓦格寧根大學（Wageningen University & Research）的科學家負責管理位在荷蘭史泰克瑟爾養豬技術革新中心的試驗豬場，在研究中對豬播放古典音樂。別多想，豬愛不愛聽巴哈的音樂並非研究重點，他們是要讓音樂與一些像在乾草堆裡藏巧克力、葡萄乾之類的小獎賞產生連結。而這些試驗組裡的豬，在一段時間之後，果然慢慢地把音樂跟特定的情緒連了起來。

現在緊張刺激的部分來了，研究人員讓一群從未聽過這些音律、對此連結也毫無頭緒的新成員加入了牠們。事實證明這些新成員，顯然也可以一同經歷受過音樂訓練的前輩們的所有情緒；當別人興高采烈時，這些菜鳥也會同樣跟著四處嬉戲、雀躍不已；在感到害怕時，牠們也會跟著隨處撒尿。簡單來說，牠們讓自己感染上同樣的情緒，然後在行為上有樣學樣。由此可見豬是具有同理心的，牠能夠領會其他同類的情緒，並讓自己設身處地地去感受[48]，而這恰好就是「同理心」的標準定義。

這種情緒在不同的動物間又會怎麼樣呢？人類對於其他物種的痛苦能夠產生同理心已經再

清楚不過，否則為什麼不論是昏暗大型養雞場裡脫毛流血的雞，或是在研究儀器上被開腦的猿猴都會讓我們驚愕且難受不已？一段發生在布達佩斯動物園裡的往事，就是動物也能夠跨越物種產生同理心的動人實例。當一隻烏鴉突然掉進了棕熊獸欄裡的水池時，一位名叫梅德維斯（Aleksander Medveš）的遊客正巧在那裡錄影。正當烏鴉在水裡無力地掙扎，幾乎溺斃時，正是棕熊出手救了牠；棕熊小心翼翼地用嘴咬住烏鴉一邊的翅膀，把牠拉回岸上，牠一動也不動地躺在岸上，好一會兒之後才掙扎著站了起來。棕熊則不再理會「這塊」美味鮮肉，轉頭繼續專注在自己的蔬菜套餐上。這是偶發事件嗎？如果既不是受到吃、也不是受到玩的欲望驅使，棕熊為什麼要採取這樣的行動？

或許除了透過直接觀察之外，稍微窺探一下牠們的腦內世界，也能夠在回答這個問題上有所助益。對此有人進行了動物是否也具有鏡像神經元的研究，這種特殊的細胞類型發現於一九九二年，其顯現出一種特性：一般的神經細胞，總會在個體本身執行某些特定活動時，放出電子脈衝；但鏡像神經元相對地，則會在他人表現出相對應的行為時變得活躍。也就是說，它會好像自己的身體也做出相同的行為一樣來反應。最典型的例子就是打哈欠，當你的同伴張嘴打了個大哈欠，你很容易也會跟著打哈欠。當然啦，如果感染到的是微笑就更美好了。

然而更顯著的例子，經常出現在一些較為艱難的狀況裡：譬如當很親近的家人切傷了自己的手指，我們會像自己也受了傷一樣感覺到痛，因為此時我們腦部相對應的神經細胞接收到了刺激。不過這些神經細胞要能夠如此運作，必須從童年早期就開始訓練才可以辦到。而且只有那些擁有慈愛的父母或至少等同於父母的人，才有練習這種有如鏡像般反應他人感受並加強鞏固這類細胞的機會。如果青少年的身邊一直缺乏這樣的角色，他發展出同理心的能力也將會萎縮。[49]

因此，鏡像神經元可說是形成同理心的硬體，那麼接下來我當然要問：哪些動物擁有這種細胞？當前的研究的確正巧落在這個主題上：目前只知道猿猴配備了這樣的「硬體」，至於還有哪些其他動物在這方面也與我們相似，則還有待檢驗。不過，至少他們公開透露了這個推測，答案同樣會讓人充滿意外與驚奇，因為科學家認為，所有的群居動物都有著類似的腦部運作機制，只有能夠設身處地於同類的立場，以及產生同樣的感受時，社會連結才有辦法運作。說到這裡，我已經看見了我曾經在〈腦袋瓜裡的那道光〉一章中提過的金魚，再度向我們招手示意——同樣身為群體動物，牠當然也搭上了這一條船。

利他主義

蝙蝠知道在這個圈子裡誰很慷慨、誰又很小氣。

動物擁有無私的性格嗎？無私正好與利己主義相反，而後者初步從演化的觀點來看（也就是唯有強者與適者生存），本質上並不是一種負面的特質。然而當動物相對地是生活在一個群體中，一定程度的無私精神卻是整個群體能夠維持運作的先決條件，至少當「無私」被定義為是一種與自由意志不見得非得要有所關連的特質時。

如此一來，許多動物都做得到無私忘我，甚至連細菌都可以。譬如具有抗生素抗藥性的個體會釋放出「靛基質」，這是一種具有警訊作用的物質，能使它周遭所有其他的細菌立即採取自我保護的措施；即使不是那些經由突變而變得具有抗藥性的細菌，現在也能夠存活下去。[50]這是關於無私奉獻的一個明確案例，但是其中到底有沒有「自由意志」的作用，至少以目前科學研究的水準來說仍得存疑。

不過在我眼中，利他主義只有在當人擁有真正的選擇權，或當人必須有意識且主動地放棄某些東西，投身幫助他人時，才算得上彌足珍貴。雖然最後通常是很難釐清某些動物的行為能否稱得上是利他主義，然而我們還是可以把範圍縮小，先從那些智力較高的動物身上開始觀察起。

鳥類就在這個範疇內，從牠們身上，我們的確經常可以觀察到利他行為。例如只要敵人一接近，最早發現危險的白頰山雀便會發出警戒的呼聲，所有其他的同類就可以盡量飛遠，並立刻藏身在安全的位置。不過，這隻通風報信的山雀，雖然成功吸引了攻擊者的注意力，但等於也讓自己暴露在危險中。當然，牠也可以試著找到安全的掩護，但是，報信者被擄走的可能性還是會比其他山雀高上許多。

所以，牠為什麼要鋌而走險？從演化的角度上這乍看一點道理都沒有，因為不管是牠或是另一個同伴被吃掉了，對這個物種本身根本完全無關痛癢。然而從長遠來看，利他主義不僅意味著「施」，也代表了「受」，對那些具有同理心且慷慨大方的個體來說，這又意味著某些益處。美國馬里蘭大學（University of Maryland）的卡特（Gerald G. Carter）與威爾金森（Gerald S. Wilkinson）教授，在蝙蝠身上恰巧就觀察到了這種現象。

這種南美洲的蝙蝠，會在夜晚時咬噬牛或其他哺乳類動物的身體，然後舔飲牠們傷口上汩汨流出的血而活。不過想要飽餐一頓，這些蝙蝠也必須要有足夠的經驗及運氣，因為能不能找得到目標，或者受害者會不會安分站著不動都是未知數。運氣差一點或經驗不足的就經常要餓肚子，不過也只需要忍到其他大有斬獲的同伴飛回巢穴為止。因為牠們會嘔出一部分吸到的血，來與那些運氣不佳的室友們分享，這樣大家的肚皮至少就都能約略填飽。而且這裡所說的，真的是「大家」。因為令人訝異地，不僅是關係較近的親人被照顧到了，連那些跟「捐贈者」一點關係都沒有的同類，也得到了雪中送炭。

這到底所為何來？從演化的角度來看，理應只有強者才能生存，割捨資源只會削弱自己。畢竟謀食需要耗費精力，替他人謀食則不僅要耗費更多體力，相對地也必須更常鋌而走險。除此之外，一個群體內的某些成員也可能會利用別人無私奉獻的精神，濫用牠們善意的協助。

不過就如同這兩位美國學者的發現，事實並非如此。蝙蝠完全能夠認得彼此，牠們也知道在這個圈子裡誰很慷慨、誰又很小氣。那些平常總是特別善待他人的同伴，在流年不利時也會特別優先獲得照顧並得到食物。[51]所以利他主義其實也利己嗎？在演化的觀點上當然是肯定的，因為展現出這種特質的個體，長遠來看擁有較高的生存機率。

不過從這個觀察裡，我們還能夠學習到一些其他的東西：蝙蝠顯然在決定要不要分享食物時，是擁有選擇權以及自由意志的。若非如此，牠根本不需要這個彼此相識且關係複雜的社會網絡，也不必將其中的每個成員按照特質歸類，然後依此決定對應的行為。當然，利他主義也可能單純是由基因決定，然後以某種反射行為來執行，但若是如此，動物之間應該就不會表現出任何行為特徵上的個別差異。利他無私的可貴之處，就在於其出於自願；顯而易見地，蝙蝠擁有這種自由選擇權。

教養

只要遵循前人的腳步，就可免除早夭的命運。

為了學會成人世界的遊戲規則，動物也需要從小接受教養。而這到底有多重要，在我們買回一小群山羊寶寶時就深切體會到了。

我們隔壁村子的那家酪農業者一般來說只賣小羊，因為為了製造乳酪，他們需要母羊生產的羊乳。而那些小羊的命運，聽起來不外是以下兩者之一：不是生命終結變成展示櫃裡的肉品，就是賣給有興趣養幾隻動物的人。我們最初入手的四頭小羊運氣還不錯，可以不被拆散一起來到我家的草地上。可是在我們根本都還沒來得及把牠們全部安置在已經圍好籬笆的草地上時，第一隻小羊已經在極度的驚恐中跳過籬笆，轉眼消失在大約八百公尺外的森林裡。我們其實已經做了再也見不到牠的最壞打算，畢竟牠怎麼可能知道自己的新家在哪裡？通常牠會有母親陪在身旁，母羊會冷靜地輕聲呼喚，讓小羊得到充分的安全感。但是如今這裡沒有任何同類可以讓牠依靠。沒有任何同類？不是還有另外三隻小羊嗎？很明顯地，牠們雖然組成了一個群體，但卻無法提供那種類似的安全感。

像這樣令人氣惱的事層出不窮。倍力（那隻棕毛的小逃亡者）之後雖然奇蹟似地回來了，但是這幫鬧哄哄的淘氣鬼居然從此有樣學樣，總愛越籬而出到處蹓躂，每次我們都必須汗流浹背地把牠們趕回羊圈裡，而這可讓人累慘了。那時候我們唯一的希望，就是牠們在生兒育女之後行為或許會有所改善。而的確如我們所願，這些山羊在有了第一批後代之後，性情變得沉靜穩重許多，從此老老實實地就只待在分配給牠們的那塊草地上。至於牠們的兒女，因為自小就從媽媽那裡見習到身為一隻聽話的山羊，該如何生活在草地上，完全沒有機會變成冥頑不靈的搗蛋鬼。

每當牠們偶爾行為乖張時，母羊會先咩咩叫一聲出口提醒，如果這招無效，用角使勁地撞一下有時候也會派上用場。至今為止，新生的第二代中，還沒有任何一隻小羊曾經越籬潛逃；而我們的「叛逃始祖」倍力，如今也變成了一隻最聽話、最可親的山羊，個性沉靜且儀態端莊。當然，年歲漸增也是這種轉變的原因之一；牠的體重增加了，因此行動也變得有點慢條斯理，然而除了外形的變化，牠的沉穩更是源自內在的祥和寧靜。牠一定把這種自信心也傳給了自己的小羊，而在此同時牠也晉升為一家之主，這無疑會為牠的生活帶來額外的安定感。

這一切聽起來完全是司空見慣且理所當然吧？我也這樣認為。然而人們卻經常假設動物乃是依本能行事，而且一切都是根據一套已經設定好的基因程式來運轉。如果真是如此，那所有的一切看起來應該就會有些不同；學習會變成是多餘的，因為理論上，針對每一種狀況都會啟動相應的行為模式。不過事實根本就不是這樣，數以百萬計的飼主都會舉雙手贊成我。就像在我家，狗是不准進廚房的，而牠們的確透過我們一句帶著特定聲調的「不行！」很快地學會了，並且一輩子都遵守著這個規則（雖然這個規則在自然界裡幾乎不具任何意義）。

不過讓我們再回到森林裡，來看看野生動物的學校，而且這裡我們要從體型最小的動物——也就是昆蟲——開始談起。除非剛好是成長在一個蜂群或牠的親戚，像螞蟻或黃蜂家族之中，否則這隻昆蟲就要孤軍奮戰地度過自己的青少年時期。沒有人能夠告誡牠每天生活中會遭遇哪些危險，牠得要無師自通地學會這一切。也難怪自然界中有一大部分的昆蟲幼蟲，最終都會進入鳥類或其他天敵的五臟廟裡；而且或許這種缺乏父母帶領的學習，就是昆蟲在繁衍下一代時為什麼要以量取勝的主要原因。

鼠類的繁殖速度雖然也很快，但是比起蒼蠅在規模上卻還要小上好幾個等級；蝙蝠則每四個星期就會有新的後代，而這些新生代在兩個星期後也會具有生育能力。不過像老鼠這樣的小嚙齒科動物，並不會讓牠們的下一代就這樣一無所知地進入真實世界，而是會教導牠們如何在周遭環境中行動與覓食。這種教導可以「專門」到什麼程度呢？有人就在研究家鼠到底是怎樣隨著人類四處旅行時，順道進行了探索。不過這個研究進行的地點，是在一個遠離家鼠故鄉的荒遠海島上——位於氣候惡劣的南大西洋海域上的果夫島，連最近的大陸離它都有數千公里之遙。

在這座全然遺世獨立的小島上，至少在航海者發現了這個島嶼，並不小心把家鼠也帶進來之前，有著像信天翁這樣的巨大海鳥在孵育牠們的下一代。這些家鼠就像盲目的乘客，牠們飄洋過海搭了一大段順風船，然後在這座小島上重操舊業——挖地洞、吃樹根與草籽，然後大量繁殖。然而，不知道是從哪天開始，牠們其中之一突然有了吃肉的欲望。牠們一定是看到了人類怎麼殺掉信天翁的雛鳥，先不論這行動有多殘暴，但至少它不是件容易的事。因為信天翁的雛鳥，體型大概是家鼠的兩百倍大。但是這些攻擊者很快就學會了牠們可以集體行動，而且必須持續啃咬雛鳥，直到牠流血而亡。更為血腥殘忍的是，甚至還有可能生吞活剝一隻活生生且毛絨絨的雛鳥。

回到動物學校這個主題，研究人員發現了，多年來這種會獵殺雛鳥的行為，只出現在島嶼的某些特定區域裡。顯然這些地方的老鼠向牠們的子孫示範了這種策略，並把這種技術繼續傳給下一代；然而在此同時，島上其他區域的同類對於此項技術卻渾然不知。這種獵食策略的傳授，在許多比較大型的哺乳類動物身上也可以發現，狼就是這樣。而且還不只如此：野豬與野鹿的幼仔，也必須學會認得自己家族在幾十年來，從夏天活動的區域遷移到避冬處的安全路線。這些路線也因為長年的使用，經常被足蹄踩踏得有如水泥一般堅硬。

只要遵循前人的腳步，就可免除早夭的命運，不過，動物的學校會不會比我們人類的來得有趣？可惜這我也不知道。

如何放手讓你走

蜜蜂並不想擺脫牠們的孩子，但在夏天即將結束時，卻會設法甩掉牠們的男人。

孩子總有一天要獨立，這點不管是對我們，或是對大部分的為人父母者，都再清楚不過。我們很早就教導孩子要學會自立自主，至於其他的部分就順其自然；或者更準確的說，就由荷爾蒙來決定。雖然我家兩個孩子的青春期，是以一種比較溫和平靜的方式展開，但是意見分歧的現象，在這個階段的確發生得更加頻繁。而這也讓我們雙方都有了這樣的念頭，一旦時候到了，人終究得各走各的路。

這個步驟，就由我們的教育體制來接手完成了。因為高中會考後接下來就是上大學，而在一個寂寞的森林工作站附近，自然不會有這種可能性；他倆後來都無可避免地搬到五十公里外的波昂去讀書。順帶一提，因為避開了日常生活裡經常發生的惱人磨擦，我家的親子關係突然變好了。

而動物們是怎麼進行這件事的呢？我們至少已經知道在哺乳類和鳥類的世界裡，世代間也存在著這種終究在某個時候必須放手的緊密關係，然而大部分的動物卻會遇到另一個問題：在牠們之中，許多並沒有那種符合人類定義的家庭，以至於大一點的孩子，通常最慢在一歲之後就必須把位置讓出來給新生的成員。但動物要如何疏離自己的孩子呢？

方法之一便是「糟糕的品味」，這裡指的確實就是字面上的意思，我們「有幸」能夠在自家山羊的身上體驗到。當春天有新生的羔羊不幸夭折時，我們就必須自己動手來幫母羊擠奶，否則牠漲滿奶的乳房可能會因此發炎；反正我們也可以順便得到好喝的羊奶，不管是加在早餐麥片中，或把它做成羊乳酪。不過，好喝的羊奶？沒錯，在剛開始的那幾個星期確實很好喝，嚐起來又香又濃，跟優質的牛奶幾乎沒什麼兩樣。但是隨著春光日盛，那羊奶裡就益發摻雜著一種苦澀的口感，直到有天終於沒有人想再繼續喝下去，於是我們會把擠奶的間隔時間拉長，以讓母羊的泌乳作用慢慢停止。

喝掉羊奶的不管是小羊或是我們，其實一點都不重要。重點是透過味道的轉變，母羊的奶對小羊來說會變得不具吸引力，牠們因此也會逐漸把胃口轉移到青草與其他草本植物上。這樣一來，不僅母羊少了負擔，也讓小羊能獨立取得食物。除此之外，母羊這時候也只會讓這些半大不小的孩子有機會靠近牠的乳頭幾秒鐘，然後就會煩躁地舉起腿把牠們的頭推開。這樣一來牠就可以準時在秋天，也就是交配的季節時，為自己、也為即將降臨的新生代再次儲備好身體全部的能量。

蜜蜂雖然並不想擺脫牠們的孩子，但在夏天即將結束時，卻會設法甩掉牠們的男人。雄蜂，是有著一雙大眼但卻沒有螯針的溫和動物，整個春夏都在蜂房裡懶洋洋地四處閒晃。牠們不用去尋找蜜源，對於將花蜜晾乾並製造成蜂蜜的工作也袖手旁觀，更完全不需參與養育照顧下一代。是的，牠們養尊處優，享受著由（雌）工蜂供養的美好生活。牠們只會偶爾離開蜂巢飛到戶外，看看是否可以剛好碰到一隻準備好要交配且正在四處巡弋的蜂后；一旦遇上了，牠們會立刻跟隨著她，然而，能夠成功地在飛行中與她結合為一者，只有為數極少的幸運兒。其他的失敗者只能一路嗡嗡嗡地無功而返，然後再從一頓甜食中得到一點安慰。

這樣輕鬆的好日子，誰不想一直過下去呢？然而隨著夏日進入了尾聲，工蜂對於這些好吃懶做的無賴的耐心也消磨殆盡。年輕的蜂后早就已經完成了交配，她那些帶領著追隨者離開蜂群另創天地的其他姊妹，同樣也都完成了終身大事。寒冬將至，所有珍貴的存糧，必須能夠充裕地供應給成千上萬的冬蜂，特別是壽命較長的工蜂與蜂后。沒有人會為這些懶散溫吞的雄蜂貯藏任何糧食，我們現在翻開的，正是這種昆蟲相對醜陋不堪的一頁。

晚夏時分，一場雄蜂的大屠殺會在這裡上演。那些曾經被如此縱容的雄性成員，此時會被粗暴地攫住，並毫不遲疑地丟到門外去；雖然雄蜂會充滿疑懼地以腳反抗拒絕被帶走，但所有的抗拒都不過是徒勞。牠們鐵定不喜歡被這樣對待，因此所有的感官都處在一種警戒狀態。然而過度奮力違抗者，會直接遭到賜死，同情與憐憫在這裡蕩然無存。而其他一息尚存者，接下來要面對的若不是令人痛苦的活活餓死，就是很快地進了一隻同樣也餓著肚子的山雀的五臟廟。

野性難移

狼終其一生對人類存在著一定程度的不信任感。

多年前，我曾經接過從隔壁村子打來的一通電話，一位聲音聽起來有點憂慮的太太告訴我，她家來了一頭幼狍，不知道該怎麼處理。在我進一步的探詢之下，才知道原來這隻小鹿是她的孩子在玩耍時從森林裡帶回來的。真是糟糕！這種只是因為好玩，或者有時候甚至是出於「好意」的行為，對這些年幼的動物來說，卻常代表著一場災難。

西方狍的母鹿在生產過後的頭幾個星期，大都會把孩子單獨留在灌木叢或高草地裡，因為這對彼此都是最安全的作法。帶著幼兒的母親行動是遲緩的，她必須不斷地等待孩子跟上，這個小東西還未經世事，而且還總在媽媽的身後慢慢磨蹭，這豈不是正對野狼和山貓的胃口。這樣的組合牠們從大老遠就瞧得見，可以輕輕鬆鬆鎖定下一餐的目標。這也是為什麼在最初的三到四週裡，母鹿會寧可與小鹿分開，並把小鹿安置在比較隱密的地方。

從氣味上來說，幼鹿有著絕佳的掩護，因為牠幾乎不會散發出任何足以引起肉食性動物注意的體味。母鹿在此期間只會在此短暫停留，哺乳了孩子後便隨即離開。這樣她才有餘裕進食，多吃些能補充體力的嫩葉與新芽，而不用隨時掛心並分神來看顧身邊的小傢伙。但是，如果有個對此毫無概念的人類，碰巧遇見了一隻看起來如此孤單且蹲踞不動的幼鹿，幾乎像是反射動作，他會認為自己「必須」出手幫忙。因為身為人類的我們無法想像，把嬰兒就這麼丟在某個地方然後一走了之，這個無依無靠的棄嬰該得要吃多少苦、受多少罪！

所以總是會有這樣的「善心人士」，一時衝動地把他們認定是孤兒的小動物帶回家。然而他們接下來通常會不知道該如何是好，最終只能求助於專業人員。而通常也晚到這個時候他們才會明白，這種把動物幼兒帶回家的行為，錯得有多麼嚴重。只可惜，這通常覆水難收：幼鹿身上一旦沾染了人類的氣味，就不可能再回到森林及母鹿身邊，因為母鹿會再也認不出自己的孩子。用奶瓶來養大牠們不僅費力而且危險——至少就公鹿而言，容我稍後再提。

在我眼中，這裡的母鹿是一個說明母愛完全能夠以不同模式存在的美好實例。大部分哺乳類動物的做法其實與人類很相近，母親都會尋求與孩子建立起經常且緊密的連繫。然而那些行為表現與這種模式有所不同者，並不表示牠們就冷酷無情，牠們通常只不過是為了順應另一種情況。西方狍的幼鹿在牠生命最初的幾個星期裡，即使沒有持續地接觸到媽媽，肯定仍然覺得十分安適；一旦小鹿動作變得敏捷且有辦法跟上媽媽，這種狀況就會有所改變。牠會自此待在母鹿的身邊，很少離她超過二十公尺。

不過幼鹿在牠生命最初幾個星期裡的這種典型行為，在一切講究現代化技術的今天，卻會為牠帶來其他更不幸的後果。遇到危險時，幼鹿通常會將身體蜷縮起來，因為出於本能，牠知道幾乎沒有人可以透過氣味發現自己。然而今天這種危險，卻經常不是來自那些餓著肚子在尋找嫩肉的野狼或野豬，而是有著巨大割草裝置、可以高速割完一公頃草地的牽引機。蜷縮著的幼鹿很容易會被捲進刀片中，並且，如果運氣夠好的話會立刻死去。然而情況通常是如此，小鹿很快地在牽引機前站了起來，然後四肢就像身邊的高草一樣，應聲被砍斷。補救的方法，是在割草的前一天傍晚，先巡視一趟，並要特別帶上狗兒來釋放「危險！」的訊號。如此一來母鹿便會敦促小鹿跟上腳步，離開這片草地移動到比較安全的地方去。可惜要進行像這樣的預防救援措施，不只經常缺人也缺時間。

另一個可以證明野生動物不僅不適合當寵物、甚至連親近觸摸都不甚妥當的例子，就是歐洲野貓。一九九〇年時牠幾乎完全滅絕了，在前西德的中部山區裡大約僅剩四百隻，以及蘇格蘭高地上大約兩百隻的剩餘族群。我在埃佛地區胡默爾鎮的林區有幸也屬於牠們最後的庇護所之一，因此總能觀察到這種害羞的迷你小老虎。不過在此同時，情況有了顯著地改善，感謝保育與重返原棲地的措施，中歐地區的森林裡，得以再度有了幾千隻漫遊的野貓。

牠們的特徵很明顯：大小差不多就像健壯一點的家貓，毛皮略泛赭色，並有著不怎麼明顯的虎斑，尾巴則毛絨絨地且帶著環狀紋路，末端呈現黑色。問題是許多帶著虎斑紋的家貓看起來差不多也就是這樣，雖然牠們與歐洲野貓並沒有親戚關係。比較保險的確認方式是透過腦容量的大小、腸道的長度或者基因測試，但是對於一般的森林遊客來說，以上的任何一種鑑定方式當然都不可行。

不過，其實還是有幾點依據可供參考：因為被馴養寵愛，家貓如今在活動力上已經有些退化，牠們通常只會在比較溫暖的季節裡，在離主人家兩公里以內的戶外空間裡探索潛行。一旦濕冷的冬季來臨，牠們的探險欲與活動範圍也會跟著縮小。超過五百公尺已經是牠冬日探索之旅的極限，這隻凍僵了的寵物，會只想趕快回到牠在主人家溫暖舒適的窩裡。野貓則相對地不得不堅忍強悍些，牠們在寒冬中既不冬眠也不休息，即使是下雪天一樣得在野外捕獵老鼠充飢。所以當一隻虎斑紋貓出現在雪地中，而這裡離下一個村子又有好幾公里遠，幾乎就可以確定這鐵定是隻不受約束的野貓。

早自羅馬時代以來，那些從南歐引進的家貓就已經在數量上遠超過野貓許多倍。然而野貓為什麼沒有因為兩者之間的雜交而滅絕呢？雖然從一種所謂的雜交種貓的出現，證明了這兩種動物間的確存在交配行為，但事實上它的發生卻只是少數的例外。因為一旦兩種動物狹路相逢，相對溫馴者註定永遠都是輸家，野貓名副其實的狂野，很快就會讓家貓落荒而逃。

那麼，這種小野貓，到底適不適合養在家裡當寵物？一些個別的野生動物對人類會產生依附感，這種現象必定在鄉村地區特別經常發生（而且還在持續發生）；畢竟會把食物好心留在門前的動物愛好者，在數量上可一點都不少。而且就像那些冬天流連在飼料小屋裡的鳥兒顯示，動物對於人類的怯意與恐懼是會逐漸減弱的。

最近我才從村子裡得知，當野貓在人類的照顧下長大，會是怎樣的光景。一個慢跑的鄰居某天在林區裡一條僻靜的步道旁看見了一隻小野貓，他克制了自己想把這個顯然非常無助的小傢伙帶回家的念頭，只是初步地觀察了牠。幾天之後，他又回去了同樣的位置，而這隻喵喵叫個不停的小毛球依舊蹲坐在小徑旁。所以情況十分明顯，牠的母親不知道是出於何種原因消失了；如果讓這隻幼貓自生自滅，牠當然就只有死路一條。於是他小心翼翼地把牠抱起來並帶回家，然後到野貓工作站諮詢了如何與這種動物相處的資訊，而法蘭克福的申根堡研究院（Senckenberg-Institut）也根據毛髮鑑定，確認了這是隻百分之百純種的歐洲野貓。

野貓因為腸道較短而無法耐受家貓的飼料，所以這隻小野獸吃的是肉。很快地，人在餵養牠的時候已經沒辦法靠得太近，因為牠會立刻轉換成一種備戰的狀態。可是當牠和這一家人一起在草地上散步時，小野貓卻總是老老實實地跟在腳邊，讓人覺得牠有可能被馴化。之後，牠卻轉眼就像脫韁野馬似地不受控制了，牠愈來愈具攻擊性，會驅趕威嚇年紀較大的家貓，最後被送進了位在威斯特森林裡的一個野放動物中心。

這個例子告訴了我們，許多物種的野性是無法移除的，因此牠們並不適合生活在人類的呵護之下。每一種變成了人類寵物的動物，之前都有過一段漫長的配種繁殖過程，這絕非來自偶然；如果有人真的手癢想要試著馴化野性，那還得先過法律這一關。因為基於各邦自然保育或狩獵法令極為嚴格的規定，只有在獲得特別許可的例外情況下，個人才得以飼養野生動物。

奇怪的是，現在的人卻總想試試什麼叫做明知不可為而為之，而且還偏偏一定要找上可憐的狼。狼的族群重返中歐，已經讓牠在許多地區很難得到人們足夠的好感。其實狼對於人類來說並不危險，因為我們引不起牠絲毫的興趣，然而如果人類強制把牠留在身邊，情況就會有所不同。養狼不僅是違法的，牠還跟前述的野貓一樣，會永遠是隻充滿野性的動物。所以某些人會說，為什麼不乾脆讓牠與像哈士奇這類大狗交配，然後配出一種外表雖然看起來像狼，但卻擁有家犬一般溫馴個性的新物種？這種想法似乎十分合理。不過由於這麼做其實也是違法的，就有一種專門買賣狼犬混血種的動物黑市應運而生了，其中的動物全是從美國或東歐進口而來。[52]然而事實證明，因為身上帶著高比例的狼血統，這些「狗」根本就無法變得溫馴，牠們因此必須在壓力中忍受著與人類共同生活。這種類型的親密關係本來就是危險的，因為壓力會誘發侵略性。

為什麼像狼這種社會性很強的動物，相較於狗會如此難以馴養？美國麻薩諸塞大學（University of Massachusetts）的羅德（Kathryn Lord）就對此進行了研究。根據她的研究結果，關鍵就在於幼犬社會化階段的差異。幼狼在兩個星期大時，就已經可以四肢靈活地行動，然而在這個時間點，牠根本就還沒有開眼。不僅如此，此時牠也還聽不見，這個感官要在牠四個星期大後功能才會發展完全。如此說來，幼狼是在既瞎又聾的狀態下，在媽媽的身邊四處摸索行走，但是卻已間不容緩地在學習。在六個星期大時，牠終於可以完全控制自己的眼睛，此時這個小傢伙對於整幫家族的氣味與聲音，以及自己周遭的環境，早就心知肚明，同時牠的社會位置與角色也穩固不移。

相對而言，狗則像是起飛較慢的笨鳥，而牠其實也必須如此。牠不能太早與自己的族類有所接觸產生連結，因為對牠來說，那個等同於父母的最重要角色，最終還是要由某一個「人」來扮演。歷經人類數千年來的配種，狗進入社會探索階段的時間，也往後遲延到今日的四週大。然而不管是幼狼或是幼犬，這段形塑牠社會性格的期間都只有四個星期長；相較於幼狼在這段重要時期裡尚未發展出全部的感官，幼犬卻已經能夠以牠「完整的配備」探索周遭環境，而這段期間的最後幾天牠所能探索到的世界，也是屬於人類的世界。也因此當狗接下來可以完美地適應並融入人類的社會中，狼卻終其一生對人類存在著一定程度的不信任感。[53]這種基本特質，即使在狼與狗的混血種身上顯然也都沒有消失。

不過跟小鹿比起來，狼犬混血種或許還算無害。小鹿？其實也不是全部的小鹿，而是小公鹿，只有雄性的鹿才會對飼主的生命安全構成威脅。因為只要一年的時間，這隻身上布滿可愛白點的小鹿斑比就會化身為一隻成年公鹿。西方狍的公鹿是獨行狹，而且無法忍受自己的領域內有競爭者；於是在牠幼年被照顧呵護時與人類所建立起來的親密關係，會逐漸褪去，此時飼主會明顯地等同於另一隻鹿（至少在這隻公鹿眼裡），而這意味著兩者之間的關係也只能是對手。既然是對手，當然就必須使盡全力驅趕，而如果沒辦法像牠在自然界中的對手那樣輕巧機靈地躲開，稍有遲疑就會發生遭尖銳鹿角刺進身體的悲劇。

這樣的行為並不是偶發的例外，而是常態；即使被野外回自然界中，危險還是會繼續存在。畢竟野鹿對此還留有記憶，而且在牠往後的生命中，也不見得總是能避開人類。二〇一三年的《黑森林傳訊報》（*Schwarzwälder Bote*）上就曾經有過一則報導，在瓦德默辛恩這個小地方的一個運動場邊，有兩位婦女在傍晚時遭到一頭公鹿襲擊；經過證實，肇事者在前一年才剛被人類親手拉拔長大。[54]

山鷸雜碎

動物到底有沒有味覺呢？

如同我在〈羞愧與懊悔〉這章提到的，我家的馬兒嬉皮和布里姬每天都會得到一份營養比較充足的口糧。我們尤其希望的，是這些富含能量的穀物能給年歲較高的嬉皮帶來一點滋補，不過馬的咀嚼顯然不夠徹底，因為在牠們的糞便中總還帶著不少完好的穀粒。而現在我要說的事會有點讓人倒胃口，因為那隻幾乎變成我們的「寵物」，且總是在附近草地上閒逛蹓躂的烏鴉，發現了這個目標。牠會挖開這些馬糞，然後挑出裡頭的燕麥穀粒。「好吃嗎？」我覺得看起來真的相當噁心，因此腦海中當然也不禁浮現了這個問題：如此這般拉出來的「食物」，是否真的構得上好不好吃。

動物到底有沒有味覺呢？這點倒是完全肯定，只不過基於不同的天性，牠們的口味與人類習慣吃的東西很不一樣（人類對於味道的認知當然也存在著一定的歧異。例如那種在中國十分受歡迎、已有百年歷史，且有如黑玻璃般的蛋……應該很難讓人聯想到那會是令人垂涎的精緻美食吧？至少對我們歐洲人來說）。連我家的馬，都能提出牠們先天就具有味覺的證明。牠們每年都必須接受兩到三次的驅蟲治療，為此我們會把藥膏從藥管擠進牠們的嘴巴裡；這滋味想必一點都不美妙，因為只要牠倆注意到接下來會發生什麼事，就會立刻逃之夭夭，一點都不想待在我們身旁。幸好這時藥商想出了因應之道：現在你也可以選擇蘋果口味的驅蟲藥——這是馬喜歡的口味！從此之後，驅蟲的過程進行起來就順暢了一些。

透過主人的教養，動物對於東西好不吃同樣也會形成自己的一套看法，這點養狗的人肯定再清楚不過。有時候只是換了另一個牌子的飼料，這些四腳毛孩子就會拒吃以示抗議。而那隻名叫粗皮的法國鬥牛犬，雖然胃口奇佳，就算是陌生的東西都可以吃得津津有味，可是這卻經常帶來惡果，至少對我們而言。因為不久之後，就會有臭氣彈以每十分鐘一次的頻率轟炸我們，它讓整個客廳瀰漫著臭味，而罪魁禍首就是粗皮。

相較之下，兔子的口味甚至比烏鴉更反常。這種大鳥至少只會在別人的糞便裡翻攪，也只挑出其中的穀粒來吃，兔子卻會一再地把自己的排泄物吃掉；不過牠也並非照單全收，而是只吃特定的糞便。就像所有的草食性動物一樣，兔子腸道裡的細菌也會幫牠分解咬嚼過的草及葉子以促進消化，特別是牠的盲腸裡有一些專門的菌種，可以將綠色植物分解成最基本的成分。

不過像蛋白質、脂質與醣類這樣的營養，只能在小腸裡被吸收，糟糕的是小腸的位置卻是落在盲腸之前，因此這些被分解完成且富含營養的食糜，只能在尚未妥善利用的情況下就直接滑過消化系統，無可避免地再度排出兔子體外。

所以還有什麼會比這樣做更合理呢？每當這種盲腸便排出來時，就立刻再把它吃進去，讓它再一次通過消化系統，也讓小腸有機會妥善吸收其中富含營養價值的成分。[55]至於那些最終處理完後呈現乾硬顆粒狀態的廢物，牠們則不屑一顧。

對人類來說，把排泄物吃進嘴裡根本是件無法想像的事，不管那是來自動物或是我們自己的身體。不過或許該說，至少「幾乎」所有的人類，因為還是有極少數的人會這麼做，而且在我們中歐地區的百姓中，獵人就屬於這個族群。他們一直到今天都還在獵殺山鷸，在我眼中，這種行為的可憎程度等同於獵鯨。山鷸身上幾乎沒有什麼肉，而這或許也是下面這種怪異風俗會產生的原因：在牠全身上下可供食用的部位中，其中之一是所謂的「山鷸雜碎」，指的是鳥兒的腸道及裡面的內容物（也就是排泄物）。將其剁碎並用盡各種烹調方式來使其變得美味，譬如加入燻肉、蛋和洋蔥，然後放在麵包上一起進烤箱，出爐之後就是一道獵人野味。雖然鳥糞便中的蟲卵或類似的東西，在烹煮加熱的過程中會被殺死，然而只要一想到要「享用」它，我就會立刻胃口全失。

為了要分辨出適合食用的，並排除不適合（或甚至是有毒的）的食物，動物必須具備有嚐得出味道的能力。然而即使許多物種擁有與我們相對應的感官，在味覺體驗上跟人類還是大相逕庭。譬如說我們喜歡把一個愛吃甜食的人稱為「甜食貓」，可是真正的貓在嗜甜排行榜上根本是連邊都沾不上。因為在演化的過程中，牠與其他像獅子和老虎這些大貓以及海豹一樣，都失去了甜味受體；顯然含糖食物對於這類動物並不具有特別的吸引力，這其實也很容易理解：因為肉嚐起來可不是甜的。[56]

不過更困難的，可能是要比較人類與蝴蝶的味覺，譬如說鳳蝶。雌鳳蝶只會把卵產在可以提供牠的孩子足夠食物的地方，這指的是一株適切植物的鮮嫩多汁的葉子上；這樣一來孵化之後的毛毛蟲只需要往自己的四周動動嘴，就可以飽餐一頓。然而蝴蝶在尋找產卵的地點時，為了省掉必須一一品嚐各種植物的功夫，會用步足來完成這項探測任務。

牠會在一片葉子上四處踩踏，用自己長著味覺感受器的腳底，「嚐出」葉子上多達六種不同成分的味道。不止如此：牠還能辨識出植物的年齡與健康狀態。[57]聽起來很不可思議吧？我們人類也可以從味道上辨識出東西新不新鮮，只要想想熟透香蕉的味道就行了。透過品嚐來得知植物健康與否，對於牠們後代的生存機率可說具有決定性——如果在毛蟲化蛹之前，這株植物就枯萎了，那麼破繭而出、蛻變為蝴蝶的美夢當然也就成了一場空。

海濱有逐臭之夫

明天傍晚我會回到巴黎，千萬別洗澡！

繼味覺之後，我們自然也想要拿把放大鏡來好好審視一下嗅覺。東西聞起來是香或臭，動物絕對感受得到，因為嗅覺不僅像味覺那樣可以檢測食物，還有另一個跟在我們人類身上類似的功能：讓自己對異性具有吸引力。

不過動物所偏好的氣味，到底跟那些我們聞起來覺得身心舒暢的香氣有多麼天差地別，我家的公山羊維托每年到了秋天都會親身示範一次。如前所述，牠會灑上獨家配方的「香水」，也就是自己的尿液，對身邊的兩位女士盡情放電並施展魅力。我太太因此在每次要進入羊舍探望這一小群成員前，都會換件衣服並帶上帽子，因為那無孔不入的熏人氣味不僅飄散在花園的各個角落，還會殘留在頭髮和衣服纖維裡。

不過讓我們作嘔生厭的東西，說不定只是這個時代的一種文化現象。在兩百年前，還沒有止汗劑的年代（或至少尚未普及），或許也是出於當時社會的普遍認知；譬如說拿破崙在一場戰役中給約瑟芬寫了這樣的信：「明天傍晚我會回到巴黎，千萬別洗澡！」而十六世紀時那些西班牙的征服者，對於洗澡顯然也抱持著懷疑的態度，不過他們或許是想要表現出自己跟那些愛乾淨的摩爾人不一樣——後者才剛被他們趕出了伊比利半島。當墨西哥的阿茲特克人第一次見到這些白皮膚的陌生人時，必定也聞到這些人與自己洗著蒸汽浴的家鄉人在體味上的差異，因為那簡直令人作嘔！如果今天我們要做個比喻，那或許就像是一塊熟成已久的乳酪所散發出的味道。當然，你也可以說它是一種腐壞乾硬的奶蛋白，反正它所散發出的氣味同樣令人反胃。舉出這些例子的目的，並不是要揭發人類在體味上與某些氣味熏人的動物不遑多讓，我只想清楚地表明一點：人類對於氣味的認知有著極大的差異。

狗在嗅覺的品味上，比起公山羊甚至還要「略勝一籌」。我家的母狗馬克西偏愛在狐狸的糞便裡打滾，而這味道又臭得格外嗆人刺鼻。不僅如此，新鮮的牛糞也是狗喜歡取得獨特氣味的來源。長久以來人們總認為，這些毛孩子這麼做的原因，是為了要掩蓋自己的氣味，以確保在獵食時有較好的機會，至少對牠們那些還充滿野性的祖先而言。不過今天一般的看法，則是狗或是狼之所以這麼做若不是為了傳達訊息，就是純粹偶爾想成為同類的焦點。所以對於自己身上散發出如同腐屍或草食性動物糞便的氣味，牠們顯然完全不覺得難受。[58]只不過不知道牠們在這麼做的時候，腦中所想的是否如同人類想要為自己噴灑香水？

然而養狗的人應該特別注意的，其實也只有當你的狗在同類或狐狸的排泄物裡翻滾，或甚至把它吃下肚時。尤其是狐狸的糞便裡，很容易夾帶多包條蟲細小如塵的卵，它們會在你的愛犬洗完狐狸糞便浴後附著在牠的毛髮上，然後四處飄落，這極有可能就在你的客廳裡。於是你等於替代了老鼠——那是這些卵原本應該的去處；它們會發育成蟲，定居在老鼠的內臟裡，讓宿主生病、動作遲緩。這樣的老鼠特別容易淪為狐狸的獵物，如此一來，宿主與寄生蟲之間的關係，就完成了一輪循環。當然，你不可能像老鼠這樣的中間宿主會被狐狸吃掉，但這種寄生蟲卻會嚴重損害人的健康，而且極難治癒。因此剛剛在糞堆裡打過滾的狗，無論如何一定要徹底地洗一次澡。

不過，動物雖然對於氣味與我們有截然不同的評價，牠們可不只認得香味，也能察覺臭味，特別是對自己排出的糞便。草食性動物都知道，最好避免到有糞便的地方去吃草，因為不論是野鹿、山羊或者牛，幾乎沒有哪一種牲口可以倖免於寄生蟲之害。也因此牠們的排泄物裡，總是充滿了這些寄生蟲遺留下來的的東西，例如肺部寄生蟲。在這些動物一公克的糞便裡，可以含有七百顆之多的寄生蟲卵，而它們有可能從草地上再度被吃回肚子裡去。[59]大量的寄生蟲會削弱體力，情況較嚴重者很容易就會淪為山貓和狼的戰利品；因此把自己的排泄物視為是一種警告訊號，只能說完全合理。

我想對於大部分的動物來說，自己的排泄物一定是又臭又噁心，完全就像人類對自己糞便的觀感。許多我們所豢養的動物都可以對此提出有效的證據，譬如說我家的馬會在草地上找個安靜的小角落，只有想要「方便」時才會來這裡報到。自然界中的動物可以四處遊走，因此不會有經常在同一處吃草的危險；在人類阻礙了這種遷徙行動之後，動物同樣也會為自己在草地上預留某個角落，以應付這非辦不可的大事。即便是我們的兔子小黑、小榛子、愛瑪和奧斯卡，不管是在兔舍裡或外面的草地上，也都會選定一個僅供「方便」的角落。

這個原則，自然在講究大規模飼養的畜產業裡行不通，在那裡不管是雞或是豬，晚上甚至都必須與自己的糞便同床共枕。因此只能透過經常性的用藥來抑制嚴重的寄生蟲感染，可惜的是，這些藥丸沒辦法同時阻止那沖天的臭氣。

值得另外一提的是，許多動物其實完全就像人類一樣，對於「方便」有些難為情。那隻法國鬥牛犬粗皮，每當在外面要方便時，總會扯著牽繩跑離我們，躲進一旁的灌木叢中；此外牠還會背對我們，以避免與我們的視線有所接觸，顯然對於有人旁觀自己必須蹲下來出恭，牠覺得很是尷尬難為情。除了氣味之外，保持清潔對於所有動物而言也同樣重要。一旦身上沾了排泄物或其他髒汙，牠們也會像人一樣覺得極度不舒服；而使這種不自在感增強的原因，或許是其他同類的反應。因為一張沾滿穢物的屁股，代表它的主人可能因生病而瀉肚子，又有誰會想被感染，或與這樣的伴侶交配？因此，即使是動物，也會細心地讓自己經常保乾爽。

不過這裡所謂的「乾淨」，在定義上當然與我們不同。例如野豬在夏天時為了讓自己可以涼快一點，喜歡在爛泥坑裡享受一場痛快的泥巴浴；牠會一次又一次地在泥坑裡到處翻滾磨蹭，發出輕快的哼叫聲並狂搖尾巴。當泥巴浴完美結束時，牠全身會裹上一層泥巴，然而野豬並不覺得自己髒。牠又為何該如此認為呢？我們人類不也熱中在自己身上塗上火山泥或沼地泥嗎？更何況這還得花錢。野豬在泥巴浴之後，和我們一樣會覺得自己神清氣爽地保養了一回，而這並不是毫無原因。在牠逐漸乾掉的皮膚泥痂裡，黏住了許多像蝨子或跳蚤之類的寄生蟲，而當這層黏土盔甲變得完全乾硬時，野豬便會在特定的樹木上把它全部磨蹭掉。在哪一棵樹木或樹樁上來磨是固定不變的，它們因為經年的使用，總是被磨得光滑平整。野豬不僅得以擺脫身上所有惱人的小生物，也除去了同樣總是會讓牠發癢的老舊毛髮。

我家的馬兒情況也差不多，牠們也喜歡在地上打滾，特別是在換毛期。雖說是依天氣狀況而定，但牠們在那之後也經常是一身爛泥，不過同樣只有泥巴，糞便則是敬謝不敏。

舒適度

其實我們的街道也是一種動物步道，只不過使用的是「人」這種動物。

我們的地表在野生動物眼裡就像張獨一無二的拼布地毯。那種大塊大塊尚未被聚落村鎮或公路切割的區域，已經成了歷史；就算你想在曠野中體驗一回真正的迷路，恐怕也只能無功而返。因為連我們所擁有的最接近自然狀態的生態系統，也就是森林，都已今非昔比。

為了要讓運載木材的車輛可以深入到任何角落，我們每一平方公里的森林裡，就分布有十三公里長的林道。如果單純從統計數字來看，這意味著我們如果跨越森林來場健走，每不到一百公尺就會遇到下一個路口，因此最刺激的探險，很可能就是來自於走錯了一條岔路。

對於大自然來說，這些道路帶來的弊害至關重要。因為在它所經之處，曾經一度疏鬆的土壤都會被大舉壓密，而那些生活在土壤層較深處的超迷你動物，會因此無法呼吸。除此之外，道路的堤壩也會阻礙水流，我們也不應該輕忽這樣的危害；因為地面下有無數的地下水流，它們很有可能會因此阻滯積水或者被迫改道，這會讓森林裡的某些地方變成沼澤，許多樹木會日漸病弱，因為它的根正在這潭混濁腐敗的水中慢慢死去。對於一些畏光的步行蟲科甲蟲來說，林道構成的障礙也愈來愈嚴重。因為這些已經失去飛行能力的甲蟲，不敢離開樹林裡昏暗的環境，來到光線充足的林道上。於是牠們等於被圍困在由道路環繞而成的封閉區域內，無法再與鄰近地區的其他同類交換基因。

然而，道路對動物不見得只有壞處，因為野鹿或野豬也像我們一樣會利用它。牠們不喜歡走在布滿枝幹和石頭的地面上，雨天要穿過濕漉漉的草地或灌木叢也令人難受，因此這些四腳毛獸心懷感激地，也用起了我們鋪得相當平整的「動物步道」。話說回來，其實我們的街道也是一種動物步道，只不過使用的是「人」這種動物。從牠們在某些表層土壤較鬆軟的地方所印下的無數足跡就可得知，這些林道走起來一定是舒適許多。

在那些人類使不上力的地方，動物也會自己開出一條這樣的康莊大道。不過會明顯地狹窄許多，寬度只容一隻動物通過。它們的路線當然也不可能事先規劃，舉例來說，它可能只是一群野豬裡的領頭母豬，曾幾何時在矮樹叢下發現的一個便於通過之處。只要其他的野豬跟著她走，就足以把路上的雜草全部踩平，當下次牠們再經過這裡時，這些痕跡還會隱約可見，走起來也會更加舒服。隨著時光流逝，這個通道在經年累月的使用後，會像人類踩出的自然小徑一樣：所有的植被都被踐踏而死，一條光禿且狹窄的泥土小徑於是成形。這條走起來舒適不少的步道，動物們會一代又一代地傳承下去，除非有人從中做梗，擾亂牠們的生活。

在我剛開始管理這個林區時，曾經讓人在橡樹育苗區的四周搭建了圍籬。沒辦法，對這些鮮脆多汁的嫩芽極其垂涎的野鹿實在多不勝數，我不得不對這些幼苗採取保護措施。然而事後證明，這道圍籬把一條這種大型食草動物慣行的古老遷移步道給截斷了，牠們因此被迫另闢蹊徑。這種改變帶來了一個後果——野鹿現在可能會出乎意料地現身在我們無法預期的地方，從此之後，開車的人必須面對更多危險狀況。幸好，最後我們移除了這道圍籬，這些動物也再次回到了牠們傳承已久的古道上。

順便一提，人類建構道路的方法和形式其實與動物並無二致，這點我在我們名為「安息林」的樹葬森林裡就能觀察到。所謂的樹葬森林，是人們可以租用這裡的老山毛櫸樹作為具有生命的墓碑，而葬禮就以在這棵蒼勁的老樹旁埋下骨灰罈的形式來進行。透過這種作法，這座已逾千年的老森林逃過了被砍伐的命運；而且，為了盡可能地避免干擾自然，森林經營單位也刻意不修築任何新的步道或小徑。

然而，有幾條小徑還是就這樣自然而然地踩出來了，特別是在那些老樹與它們數以百萬倍計算的後代子孫間較容易通過的地方。降雨在這裡也幫了點忙，每當一道帶來惡劣天候的鋒面籠罩森林上空時，那些年輕矮小的山毛櫸樹葉就會變得濕淋淋；由於沒有人會想要穿過這些矮樹，讓自己的褲管在不到幾秒鐘內完全濕透，一條至少在某種程度上可以讓人保持乾爽的路線，在不斷有人會追隨著前人足跡的情況下，就這樣被走了出來。不過在我眼中這完全不是問題，因為如此一來所有訪客的步履，便會集中在森林地面上不到千分之幾的極小範圍內。

然而，這些動物習慣行走的小徑當然不會只有好處，因為它繁忙的「交通」也引來了一些不速之客。除了潛伏在附近、等著要拿粗心大意的過客來祭祭五臟廟的獵食者外，還有一些小蟲也會特別在這裡守候著它的下一餐，例如扁蝨。牠是蜱蟎的一種，以吸食其他動物的血液為生；因為移動的速度極慢，所以必須等待獵物自己送上門來。而還有哪裡會比守在一條熙來攘往的通道旁更好呢？在這裡，扁蝨會緊緊地抓附在草莖、枝椏或葉子上，且高度會以野鹿或野豬的背部為標準。牠的前肢具有嗅覺感受器，藉此可以定位出哺乳類動物在何處呼吸或流汗；除此之外，這種小蟲子還可以察覺到往自己移動中的步履所引發的震動，只要有一隻大型哺乳類動物穿過草叢經過牠身旁，扁蝨便會奮力伸展前肢以讓自己搭一段順風車。接下來牠會匍匐在某個稍有皺褶且溫暖柔軟的皮膚處，開始享用牠的大餐。所以，如果你在夏天時在森林裡信步而行，記得最好避開那種有動物出沒的小徑；冬天時相對地就不會有任何問題，因為扁蝨在低溫下一點都不活躍。

不過，讓我們再想像一下如果腿上沾滿濕氣，那種感覺有多麼不舒服，我們多多少少都曾在散步時經歷過。難道動物就該跟我們有不同的感覺嗎？一旦身上的毛皮濕透了，牠們也會冷得發抖，因此牠們當然也偏好走在乾爽的小徑上。此外，利用步道對牠們來說還有另一個優點——快速。當灌木叢中傳來聲響，潛藏在某處的敵人正虎視眈眈地覬覦著小鹿或小野豬時，任誰都必須盡速逃離現場。但是因為森林裡粗大的枝幹和倒下的枯木四處遍布，這會讓逃難變成一場障礙物跨越競賽，所以沿著無障礙路線逃生會是最好的選擇。

在這種動物步道旁，除了扁蝨外還潛伏著另一種盲目乘客，就是那些等待著要搭便車的植物，這麼做是為了繁衍自己的下一代。例如「豬殃殃」這種植物就會長出帶著倒鈎的小果實，只要有動物與它的植株擦身而過，一部分的種子就會被牠帶走，然後掉落在某個地方。根據證明，這種類型的植物特別會沿著動物出沒的步道分布以利傳播。

壞天氣

在闊葉森林裡，雨總要下兩次。

有誰會自願在雷雨天走進森林裡？打在樹上的雷可是有致命的危險，而嘩啦嘩啦降下的冰冷暴雨也不是什麼美好的體驗。

我有連續好幾年的時間，都在林區裡開設野外求生訓練課程，所有的參與者都會在森林裡度過一個週末，身邊只帶著睡袋、杯子和小刀。我們除了在那裡睡覺，也必須想辦法填飽肚子；在覓食的過程中，有時候會突來一場劇烈的雷雨讓人措手不及，雖然無奈，我們還是得咬牙挺過。除了淋成落湯雞之外，落在附近的雷擊也會令人心神不寧，於是我必須刻意表現得更加冷靜沉著，才能安撫學員的不安與憂慮。

不過當一道威力猛烈的閃電，就打在離我們大約只有一百公尺遠的地方時，我的心裡還是湧現了一陣恐慌。因為即使不直接遭受雷擊，就我之後多次觀察的結果顯示，置身樹木的周圍還是同樣危如累卵；也就是說，不僅那棵枝幹被雷劈裂的樹木會一命嗚呼，連它周圍緊鄰的十來個同伴都可能會一起糟殃。在一個極端的例子裡，我甚至還觀察到了某種類型的飛刀效應——閃電在擊中一棵雲杉時所釋放出的強大電壓，不僅將它的枝幹劈裂成許多碎片，一些有如刀刃般鋒利的木片還猛烈地飛過一段距離，射入鄰近的一根樹樁裡。

還好在一場暴烈的雷陣雨過後，我們至少可以得到一次美好的野外觀察機會來做補償。因為當驟雨乍停，雲破日出，太陽會重新探出頭來閃耀光芒並散播溫暖。我們四周的綠意籠罩在一片水氣氤氳中，然後突然間，一隻小鹿跳到了林間隙地上。這隻全身濕透了的動物，正在尋求可以把自己烘乾的溫暖。此時此刻牠似乎與我們沒什麼兩樣，這使我自然而然地感受到一種情感連結。

所以野生動物到底要如何安然度過壞天氣？牠們不管颳風下雨都必須待在野外，在寒冷的季節裡這絕對一點都不舒適愉快。然而會不會情況其實根本並非如此？讓我們更仔細地來看看，首先應該從牠們的毛皮著手。它的防潮效果其實比一般認定的好上許多，因為那種我們總是會用洗髮精洗掉的毛髮油脂，正是讓它防水功能絕佳的原因。此外，牠們背部的毛髮是往下生長，就像某種屋瓦可以將水引流而下，野鹿和野豬也因此可以保持皮膚乾爽，短時間內不會感覺濕淋淋。

比較難受的狀況，是當有強風把雨水從側面颳進毛髮之間的時候。一些比較有經驗的前輩，會很清楚要如何因應天氣狀況變換位置，藏身於避風效果較好的地方；牠們也會調整自己站的方向，讓屁股朝向風的來處，比較敏感的臉部就可以背風得到保護。偶然的幾次零度降雪會比較難捱，因為雪花融化後，會慢慢滲入毛髮，讓野鹿冷得瑟縮發抖；然而，當天寒地凍的時節真正來臨，這些動物反而會感覺好多了。牠們豎起的冬季毛皮隔絕效果絕佳，甚至連剛降下的雪花都可以在那上面停留數小時不化。

這不是跟我們很像嗎？一個氣溫零下十度但天清氣朗的霜凍天，不也比五度但狂風咆哮的陰雨天來得更讓人順心嗎？動物對天氣的感受其實跟我們並沒有顯著的差異，只不過整體來說，牠們對於低溫的耐受力比人類還要好。然而只是這麼說還不夠具有說服力，因此我必須再用求生訓練課程以茲證明。幾年前，我甚至曾經在冬季時辦過這項活動，而且正好就是在一月的週末，天氣簡直糟糕透頂，氣溫一直在冰點上下擺盪不說，雨和雪還每小時輪番上陣來襲。連木頭都濕透到我們幾乎要搭不成營火，而我心裡其實已經做了最壞的打算，這些學員一定很快就會想要中斷活動並打退堂鼓。然而，在有些受潮的睡袋裡度過一夜之後，我們的身體似乎充分地進行了自我調整，居然再也沒有人覺得冷了；顯然我們對於舒適溫度的感覺，已經達到可以跟野生動物媲美的水準。

除了夏日溫暖的陽光，還有另一個原因會讓動物在傾盆驟雨後，從亭亭如蓋的濃密樹冠下移動到林間隙地中。原因在於山毛櫸樹及橡樹的葉子，即使是雨停了很久，都還會滴滴答答地落下水珠，民間甚至流傳了這樣的諺語：「在闊葉森林裡，雨總要下兩次」。因此野鹿如果不離開樹下，肯定還要被「雨」淋更久；不過樹下攪擾人的不只這點，頻頻掉落的雨滴也很吵！在充滿背景噪音的環境中，動物很容易忽略正在逼近的獵食者，而後者又最喜歡利用雨後來場小偷襲。所以一旦暴雨過去，這些動物寧可移動到林間隙地上，仔細聆聽一切是否如常。

相較之下，小型哺乳動物的處境就比較艱難，比方說田鼠。當我在冬季霪雨霏霏時走過我家馬兒的草地，偶爾會看到從牠們在坡地上築起的地道入口正咕嚕咕嚕地湧出水流。面臨這樣的狀況，這種小囓齒動物要如何存活呢？對田鼠來說，毛皮濕了會比對大型動物來得更加危險，因為以牠的毛皮與身體重量的比例來說，牠損失的溫度會多上許多；而且相較之下牠所需要的熱量本來就十分巨大——田鼠每天吃掉的食物分量，跟自己的體重不相上下；況且一旦淋濕了，身體對能量的消耗會更顯著增加。也因為田鼠並不冬眠，日常的覓食活動自然也就不會停歇，還好牠最愛的食物是各種禾草或草本植物的根，因此毋須暴露在冰冷的寒風中，只要在地底的孔道裡就能填飽肚子。

可是當水灌入這些通道時，田鼠該如何是好？別擔心，這種聰明的動物早就以一種特別的建築工法事先做了防備：這些地下通道在開頭是垂直降落的，如此一來，每當田鼠遇到危險且必須盡快逃之夭夭時，就可以啪答一聲讓自己立刻從洞口「掉」進地底。這些通道會挖得很深，而且遠遠深過實際上的需要，一直要到一段距離後，它才又會開始向上挖，連接到一個用柔軟乾草鋪得極為舒適的地底密室。

所以就算雨勢大到灌進了這個地下通道，水也只會積在比較深的部分，裡面的住戶還是可以舒舒服服地待在乾爽的地方。而且因為整座地底工事包括了許多相互貫通的孔道，如果雨水真的一發不可收拾地淹進了牠們的巢穴，田鼠還是有辦法逃離。然而這一招當然也不是總能奏效，當強烈的降雨——尤其是冬季時——將整片草地都淹沒在水中，厄運也會降臨在一部分的田鼠身上，牠們會在地底密室中悲慘地淪為波臣。

痛苦

所有動物都能夠感受到痛苦，並且在日後本能地聯想到當時的感受。

那是二月一個天寒地凍的傍晚，我家的母山羊倍力臨盆在即，很快就要生小羊。牠顯得焦躁不安，不停地重複起身又躺下，乳房也因為已經開始生成乳汁而顯得腫脹。米利暗有點擔心，「這拖得太久了，」她催促，「為了安全起見，我們是不是最好打個電話給醫生？」我試著安撫她，「倍力自己一定辦得到，或許牠現在需要的只是一點清靜。牠既健康又強壯，我不希望胡亂插手。」

唉，如果那時候我聽了米利暗的話，多相信一點她的第六感就好了。因為一直到隔天早晨，小羊都還沒落地，倍力顯然正遭受著極大的痛苦。牠咬緊牙關，牙齒磨得嘎吱嘎吱響，不吃東西也不願起身站立。這已經是必須打電話請獸醫火速趕來的最高警示，一直都深得我們信賴的山羊醫生正在休假中，代理他的女醫師以最快的速度趕到了我們的工作站。據她的診斷，這隻小羊胎位不正（屬於臀位生產），而且已經在媽媽的身體內不幸夭折。醫生小心翼翼地把牠拉了出來，並幫倍力開了預防子宮發炎的藥。

幸好我們的母羊很快就恢復了元氣，而且因為附近一家山羊農場正好有四胞胎的小羊想要送人，我們甚至為牠領養了小羊。沒有哪隻山羊媽媽照顧得了四隻小羊，牠只有兩個乳頭，泌乳量也無法滿足四張嗷嗷待哺的嘴。能把這幫生氣蓬勃的小傢伙其中之一送到好人家裡，農場主人也很高興。我們在這隻小羊（也就是後來的公羊維托）身上塗抹了夭折的小羊身上的黏液，這聽起來或許有點噁心，但這樣倍力才會覺得牠聞起來就像自己的孩子，也才願意立刻讓小羊喝奶。於是母子均安，這段故事有個幸福快樂的結局。

但是讓我們談談痛苦這個主題。痛苦？在〈腦袋瓜裡的那道光〉一章中對魚所做的研究，還是經常被認為具有爭議性。而且現在幾乎隨便一個人都可以從神經學的角度入手，提出各種論點來說明為什麼有類似的神經脈衝與信號過程，或是有類似的腦部運作模式和荷爾蒙分泌，就可以推斷出類似的情緒反應。然而這不是應該要簡單得多嗎？倍力已經表現出所有人類處於痛苦時也會出現的行為模式：緊咬牙關、牙齒發顫（這是山羊通常絕不會做的事）、食欲全失、躺臥不起及無精打采、缺乏反應，這些症狀中的任一種，不都是人類在遭受痛苦時應該很熟悉的嗎？

不過我從家裡的雞、山羊和馬身上所體驗到的，其實還能提供更直接一點的證據。為了讓牠們乖乖地待在我們指定的地方，牠們全都被養在一種依動物種類不同而設定的通電籬笆內。通電籬笆聽起來很過分，但是其他辦法卻幾乎都行不通。帶刺鐵絲網因為會有受傷的危險而不予考慮，木頭圍成的籬笆則至少對山羊來說並非長久的障礙，那些木樁及木板對馬來說，更是牠平常鍛鍊牙齒強度的好工具。但是，為什麼唯獨通電籬笆會奏效，它對動物又起了何種作用，我自己就可以從「親身經歷」中找出答案。

有好幾次，當我在一大清早精神還有點恍惚之際，走到馬場想要用電籬笆隔出一塊新的草地，讓牠們去吃草時，忘了事先把電源關掉。然後就會有一道強烈的電擊，把我從白日夢中瞬間驚醒，這每每讓我對自己很是氣惱；於是接下來的那幾天，我會不厭其煩地多次察看，就是要確認草地上的籬笆是否已經真正斷電；這樣的經驗會喚醒人的本能，而且這種本能會非常強烈。

通電籬笆對於動物的作用也正是如此。牠們在有了一、兩次觸電的經驗，知道碰到籬笆的感覺是多麼令人不快之後，從此就會對它避之唯恐不及。因此電籬笆的作用一開始是透過施以痛苦，後續則是單純地仰賴記憶——就像我這樣。所以我深信，我家的動物觸電後的感覺肯定跟我沒什麼兩樣。而且它作用的對象不僅是家裡的動物，像圍住我們雞群的電籬笆，就充分地施展了它的主要功能：讓那些想要偷雞的狐狸不得其門而入。此外，農人為了阻止野豬侵入，也會用通了電的籬笆把玉米田團團圍住。

而那些不喜歡看見電籬笆的寵物飼主，也可以選擇將電線隱藏起來。只要他們的狗和貓逾越了這條看不見的界線，牠們佩帶的特製項圈也會發出電擊。這麼做到底恰不恰當是見仁見智，我想傳達的事實就是：所有動物都能夠感受到痛苦，並且在日後本能地聯想到當時的感受，當然也包括我在內。

恐懼感

有哪一種經驗，會比目睹親人受了重傷或死亡更令人精神受創？

不管是人或是動物，不懂得害怕就無法生存；因為正是恐懼感，使我們免於犯下致命的錯誤。你可能也知道站在高處時，例如瞭望台或艾菲爾鐵塔上，那種令人不舒服的感覺，我的心裡這時候通常湧現一陣如同螞蟻鑽動的麻刺感，以及一種只想盡快回到地面的念頭。其實從演化的觀點來看這也很合理，正是這種與生俱來的本能，使我們的祖先免於從高崖墜落，人類的香火也得以代代相傳至今，不至於驟然斷絕。

然而動物不僅懂得恐懼或面對威脅時的那種強烈感覺，也能夠有意識地處理它，並從中發展出長期的因應策略，野豬就是這樣。不過要說明這個例子，我們必須把場景暫時先搬到瑞士；在一九七四年的日內瓦，公投通過了禁獵法令。獵人是大型哺乳類動物最大的敵人，且因為獵人在物種上屬於智人，導致所有「可獵」的動物對所有的人類都心懷恐懼。因此牠們大多只敢在夜晚出沒於草地或田野上，白天則寧可待在茂密的森林或灌木叢裡，總之就是要遠離危險的兩腳動物的視線。

不過自從禁獵令在日內瓦執行後，野鹿和野豬的行為開始有了轉變。牠們不再那麼膽怯，今天我們在大白天就能觀察到牠們。然而在行為上有所轉變的，不僅僅是日內瓦附近的野豬。在它周圍的區域裡，包含了鄰近的法國，狩獵活動還是極其盛行，而現在只要狩獵季節一展開，尤其是秋天時帶著成群獵犬的驅趕式圍捕，這種鬃毛動物就會變身為天賦異稟的游泳高手。當狩獵的號角響徹雲霄，危險的槍聲四處大作，多數野豬就會離開法國的領土，橫渡隆河投奔日內瓦。在這裡牠們安全無虞，還可以隔岸觀火，對法國射手扮鬼臉。

這些會游泳的野豬告訴了我們三件事：首先，牠們知道什麼是危險，也還記得在去年獵人的獵捕行動裡，自己的家族成員是如何在槍林彈雨中非死即傷。其次，牠們必定能夠感受到恐懼，因為只有這樣，才能迫使牠們不得不離開自己舒舒服服度過了一個夏天的地方。最後，牠們也必須要能夠記得：日內瓦是個可以提供自己安全庇護的淨地。經過了四十多年的漫長歲月，這麼做已經變成了野豬家族世代傳承的一種習慣，只要一遇到危險就游到安全的對岸去。這個肯定經過許多錯誤嘗試才發現的因應措施，則要感謝這些擅長自我防衛的雜食性動物在一九七〇年代的祖先們。

我們在通電籬笆的例子裡已經看到，動物也能夠只憑記憶就產生恐懼感。而且就像人類在接觸到特定的歌曲、味道或圖像時，在潛意識深處，會再度喚醒對於某些威脅的記憶，狗的情況也正是如此。如果你家裡有這樣的四腳成員，或許就會跟我們有一樣的體驗。我家的小明斯特蘭犬馬克西熱愛生活與各種消遣活動，唯獨不愛看醫生，然而牠得注射疫苗，偶爾還得接受一次討厭的牙結石清理，以及讓人有點倒胃口的擠肛門腺。也難怪牠每次站在手術台上時總是全身發抖，因為每對牠而言都像一種慘烈的凌遲。

還不只如此，每每在去看醫生的路上，我們也不過才剛轉進了停車場，馬克西就開始露出害怕的神情，因為牠早已從車子通風系統送進的空氣裡，察覺到了這一帶特有的氣味。此時此刻牠的腦袋中一定正在播放著某段影片，提前上演著自己馬上就要接受的各種酷刑與折磨。動物能夠感覺到痛苦，幾乎已被視為得到了證實，但是馬克西的反應還另外透露出另一個完全不同的訊息：狗，如同許多動物，能夠把某些事情記得相當久（類似我家的山羊對於電籬笆）。因為畢竟拜訪醫生的時間間隔，有時候會長於一年。

即使這點聽起來（事實上就是）並不怎麼美好，但是大部分的野生動物的記憶力確實和馬克西沒什麼兩樣。因此只要一瞥見人類，牠們的恐懼感就會油然而生，至少在人逾越一定的安全距離之後。不過，撇開這點，如果能夠知道牠們是如何看待我們，一定有趣的多，例如在牠們的眼中，人類是否與其他動物有所不同？我們製造電腦，駕駛汽車，智力遠遠淩駕於牠們之上，或至少在部分領域裡，這些牠們知道嗎？其實反過來說，除了寵物之外，似乎也沒有哪個物種因為對人類具有特別重大的意義，所以在我們眼中就比其他動物來得更醒目。

因此不管看到的是人、是鷲鷹，或者是刺蝟，對野鹿來說是不是都無所謂？原則上是這樣沒錯。如果想想上次自己到森林裡散步的經驗，或許就比較能夠理解。除了一些比較罕見、體型較大或色彩繽紛的物種可能比較容易讓人注意到之外，你會記得每一種看到的鳥，描述得出每一種飛蠅的長相嗎？當然沒辦法，因為這個世界充滿了各色各樣的生物，無法一一從細節去認識周遭所有飛禽走獸的全貌，相當的正常。

更何況，從跨物種的觀點，本來就很難更接近細節。即使同樣是人類，要讓自己設身處地從他人的角度來看世界，也幾乎不可能。所以，為什麼其他物種就該辦得到呢？如果真想對此進行評估，一個最簡單的可能性是根據動物看到人類出現時的反應。不過有一個問題至關重要：人類是否已經劇烈地影響了動物的日常生活與世界？

這種影響，一方面是經由我們利用或狩獵動物為牠們帶來的痛苦或甚至死亡；另一方面卻也可以是透過人為飼養所產生的正面好處，譬如為牠們提供充足的食物。我自己認為特別有意思的是絲毫不受人為因素影響，也就是當我們對動物是處在一種既不妨礙、也不協助的狀態下；如此一來當牠們看到人類時，將會出現宛如置身動物天堂中的典型行為，也就是在很大的程度上忽視我們的存在。

一則二〇一五年夏天的網路新聞，就是個來自遙遠非洲的極端案例。在這篇《線上明鏡週刊》（*Spiegel-Online*）的報導中有一張拍攝於南非克魯格國家公園的照片；畫面上是正在撕裂羚羊，準備要大啖一番的獅子，而且是在園區裡一條車水馬龍的馬路上，在眾車環繞之下！對於這些汽車駕駛來說，令人特別吃驚且意外的應該是：這些食肉動物根本完全不在乎，在牠獵食行動的背景裡，是長滿灌木叢、疊著亂石堆，或是一群坐在車子裡的人類。[60]

在非洲大陸一些國家公園裡所進行的動物攝影遊獵，則是種比較「溫和」的例子；遊客在這類活動中，可以將車輛停靠在離斑馬、非洲野犬或羚羊不到幾公尺的地方拍照。其實不管是在太平洋東部的加拉巴哥群島，或是南極大陸的海岸，是在美國加州的遊艇港口或黃石公園的園區，這些地方的動物幾乎都可以讓人非常靠近，沒有絲毫的不信任與懷疑。但是為什麼在中歐地區我們就做不到？畢竟這裡是全世界哺乳類動物密度最高的區域之一，平均每平方公里的森林裡，就有大約五十隻野豬與野鹿。而且，理論上牠們雖然應該要一天二十四小時都隨處可見，我們卻大多只能在夜晚與牠們打照面。原因現在應該再清楚不過：因為在我們這裡，牠們隨時隨地都可能被獵殺或捕獲。

人類是視覺的動物，因此當然是用「眼睛」來狩獵。為此所有潛在的獵物都必須從人類視覺所及的範圍裡消失遁形，才能保住性命。假若人是靠嗅覺來狩獵，這些動物或許會在幾代之後就演化成無味無臭；而如果是靠聽覺，牠們或許就會讓自己變得動作輕巧、安靜無聲。不過無論如何，牠們現在致力追求的是躲開我們的視線，而當務之急就是避免在白天活動：因為人類在黑暗中幾乎沒有視力，我們的獵物於是會退而求其次，把活動的時間延到夜晚。

許多人因此總是理所當然地認為野鹿或野豬是夜行性動物，但是這並不正確，因為牠們其實一整天都需要定時進食以補充能量。如今牠們白天只會在灌木叢或森林深處的藏身地點覓食，然而以自然習性來說，牠們根本應該要在草地上或者沿著森林邊緣活動；一直要等到暮色降臨，也就是當人類的視覺產生障礙之後，牠們才敢離開隱密的藏身處現身於草地上。只有那些為飢餓衝昏頭或粗心大意的年輕小伙子，才會提早上路，而且膽敢在獵人設置的射擊台附近活動。我們雖然會戲稱這種射擊台是「位居高位」，它對野鹿來說卻更像是斷頭台，上頭坐著牠最大的死敵，一陣巨響與煙硝，死神就會瞬間攫走自己。

以上的描述，並非出自我個人的詮釋。野生動物會累積經驗並從中學習，這點不管是這一行裡的同仁或是獵人都再清楚不過。一群鹿，會共同經歷到射擊在自己同類身上的那一槍：牠的耳邊槍聲大作，空氣中突然間聞起來有一絲血腥味；這一槍通常不會命中要害，因此不幸被擊中的同類，在痛苦地轟然倒地前，至少還可以再在驚恐的逃亡中跑上數公尺。這些情景與壓力荷爾蒙的氣味產生了關連的景象，會深深地刻印在這幫鹿群成員的意識裡。如果接下來這座獵台上的木頭又開始咿呀作響——因為獵人會爬下梯子準備把戰利品帶走，這種聰明的動物自然就了解了其中的來龍去脈。往後在再度踏上這條通往獵台的林道時，牠們總會充滿懷疑地觀望，因為不能確定那上頭是否有不速之客正伺機而動。

當然，牠們也可以選擇遠遠地離開那裡，不過這些狩獵設施，自然總是選在長著特別美味青草嫩葉的位置。即使原本沒有，獵人也會撒下混合了各種草地植物的種子，讓這裡長出對野鹿具有致命吸引力的植物。這種綜合了各式花草種子的產品，通常會取名叫「野地總匯」，這聽起來是不是很讓人垂涎？但是它卻會讓這裡的傍晚時分，不斷進行著一場又一場的賭輪盤遊戲。如果飢餓戰勝了一切，野鹿就會太早來到林道上，自然也就進入了狙擊手的視野中；如果恐懼還是占了上風，這些飢腸轆轆的動物忍到夜色已深時才出來覓食，獵人就必須空手而歸。

野鹿到底有多敏感？埃佛國家公園的研究人員會為我們解答。在國家公園裡有位會打獵的守林員與林務工人開著同一款車，每次只要守林員的車子出現了，這些野鹿就會開始撤退；但是如果開過這條路的是林務工人時，牠們就會安安靜靜地待著。不過，擅長辨識來人是否具有威脅的動物，並不只有紅鹿。我們家裡的寵物也很相信牠們自己的感覺，而獵人相對於野鹿或其他動物所扮演的角色，大概就等於是獸醫之於貓和狗。

不過獵人當然還是危險多了，也難怪許多動物都能夠記得剛剛是誰經過了這條路。相較於動物基本上都會將小孩子視為無害，松鴉則是連在成年人散步經過時，也很少會畏縮退卻；然而，獵人在森林裡的行動，卻很容易引發松鴉的騷動喧譁，牠會以一記響亮的鳴叫聲，向所有的動物發出警告。這種色彩繽紛的鳥兒，也因此總是淪為許多獵人槍口會瞄準的目標，雖然牠傳播樹木種子的角色，在森林裡幾乎無可取代。

人類的出現，為野生動物的生存空間造成壓力。如果一個區域裡總是不斷會有我們這種長著兩隻腳的生物出沒，牠們一天當中必須用來評估自己是否安全無虞的時間比例，會由原本的百分之五增加到了百分之三十以上。[61]

沒錯，人類的行為確實難以預料。那些在森林裡會保持在路面上行動的健行者、自行車騎士或是騎馬者都值得讚許，因為他們會製造出聲響，並且在既有的明確路線上活動；只要不消失在這些野生動物的視線中，他們從甲地直接移動到乙地的意圖就再清楚不過，這對那些可以從白天安全的藏身處往外視察的動物來說，也就沒什麼好懼怕的。然而，不管是採菇人、登山越野車車手，或者是獵人及守林員，他們就常常會橫越整個森林區域；也因為這些人大多單獨行動，不會發出熱絡的交談聲讓動物得以評估來者切入的路線，於是牠們耳中聽到的，只是鞋底隨處踩到小樹枝時發出的喀嚓聲，或是偶爾傳來一兩道輕微的清喉嚨聲——僅止於此。這容易讓野鹿感到不安和焦慮，為了安全起見，牠們多半會立刻逃之夭夭。

說到這裡，可能有人要提出異議了：不是本來一直就這樣嗎？不管是被狼群或是被人類捕獵，會有什麼差別嗎？當然有所差別，一個顯著的差異就是狩獵者的數量多寡。相較於狼的活動區域，平均約每五十平方公里會有一隻這種四腳獵人，在人類的活動區域中，一樣大的面積內卻可以擠進上萬個兩腳肉食動物。動物當然無法得知，我們這些兩腳天敵，是否都配有武器，於是在心存疑慮之下，牠們乾脆避開所有可能的攻擊者，放棄在明亮的白晝中，遊走到長著柔軟青草的區域上。所以那些被列為可以合法獵殺的動物的處境，也因此格外具有戲劇性。因為平均每隻潛在的獵物，都有好幾個潛在的獵人在覬覦，這在動物界裡根本是前所未聞（自然原則與此正好相反）。

所以這一點都不奇怪，不管是在森林或田野裡，到處都流竄著恐懼與懷疑。現在就讓我們瀏覽一下，有哪些動物必須承受這種可能被獵殺的壓力。野鹿與野豬我已經提過，與牠們同病相憐的還有臆羚、歐洲盤羊、狐狸、獾、野兔、鼬與黃鼠狼等哺乳動物，還要再加上灰山鶉、各種不同的鳩鴿科、雁鴨科、鷗科、鷸科，以及蒼鷺、鸕鷀、鴉科等眾多鳥類。因此這值得訝異嗎？如果我們幾乎已經很難與這份名單中包羅萬象、形形色色的動物打上照面。試著想像一下，要是在中歐地區每平方公里的土地上，都有兩到三千隻獅子穿梭漫遊其中，對應到可能被獵捕的野生動物與我們這種兩腳生物的比例，就差不多能反映出人類的數量優勢了。

回到這些動物看待我們的方式，至少在這裡我是完全無法想像了。因為假如我是牠們，假如在每處灌木叢及每個角落後面都潛藏著致命的危險，我應該會再也不敢走到門前；或者我頂多也只可能在夜晚現身，假若我知道這時候追蹤自己的敵人，肯定正在呼呼大睡，或至少不會出門。

曾經目睹自己的家族成員是如何流著血倒地不起，或一度體會過那種驚懼與恐慌如何深入骨髓者，都會把這種經歷傳承下去，而且還可能會持續到許多世代之後。

可以確定的是，這種作用甚至不需要語言也行得通，因為這種驚駭的感覺不僅深植腦海，甚至也會刻印在基因上。二〇一〇年的《世界報》的報導就已經指出[62]，根據馬克斯．普朗克研究院慕尼黑精神病學部門的研究發現，精神受創的經歷會使特定的結構物質「甲基群」增添在基因之中，它們的功能就像開關，並且會改變基因的作用。[63]研究人員從老鼠實驗中得到了證實，個體的行為會經由這個過程終生改變。他們因此也認為，透過這些變異的基因，特定的行為模式是可以遺傳的。換句話說，不僅是我們的身體特徵能夠經由基因編碼傳承給下一代，在某種程度上「經驗」也可以。而有哪一種經驗，會比目睹親人受了重傷或死亡更令人精神受創？一想到生活在我們周遭的動物大多數都有過這樣的心靈創傷……這種感覺可一點都不美妙。

值得慶幸的是，野生動物與我們人類的共同生活，也有比較美好的一面。一些城市裡日益增加的野生動物密度顯示了，人與動物在中歐地區彼此和平共生的希望依然存在。說不定動物界裡正四處流傳著這樣的消息：有人在城市裡設立某種類型的保護區。不過充滿人為建築物的地方，確實反而可以算得上是某種所謂的太平區域，因為狩獵在這裡基本上是禁止的。從這點出發，柏林、慕尼黑或漢堡等大城市與國家公園不同之處，只在於有著大規模的人為建築物。

在前院蹂躪著鬱金香花壇，怎麼趕都趕不走的野豬（牠又為何該走？）；沿著路面兩側斜坡挖掘巢穴的狐狸；大方入住人家的車庫及閣樓，把那裡當成自己的窩，布置得舒舒服服的浣熊——這些動物身處在人類文明之中，如魚得水十分快活。對我們而言，代表著遠離自然的柏油路面與一排又一排灰撲撲的房舍，在活躍於此的動物眼裡，或許只不過是個岩塊多得有點不尋常且有著怪異立方體山頂的生活空間。都市裡有愈來愈多的區域，化身變成了生態寶地，譬如柏林因為擁有大約一百對一起築巢孵育的蒼鷹，因而成為蒼鷹數量最多的地區之一；牠們在都市的公園裡築巢，並以那裡為據點四處捕獵兔子和鴿子。而我自己就曾經在布蘭登堡大門附近看到過一隻狐狸，正一派悠閒地享受著別人丟棄的咖哩香腸。

不過並不是每一位城市居民，都能夠應付得了野生動物如此接近自己的生活領域。一位年歲稍長的太太就向我描述過，當家裡的露台前出現了一隻狐狸時，她有多麼驚恐。是的，很多人這時候腦袋裡都會立刻閃過像狂犬病或多包條蟲這些念頭，而這很掃興地破壞了一次原本應該很美好的自然體驗。野生動物在這種情況下所能帶來的危險其實非常有限，狂犬病在許多年前就已經絕跡了，多包條蟲則至少在自然界中相當罕見，它從老鼠到狐狸的傳染途徑是如何進行，狐狸的糞便又是如何變成隱憂，我在前面已經提過。如果現在一隻狗吃掉了受到感染的老鼠（喜歡抓老鼠的狗兒可不少！），在排泄時同樣可以排出好幾千顆的寄生蟲卵；接下來牠會把自己舔乾淨，如此那些微小如煙塵的寄生蟲卵，就有可能會散播到主人家的客廳裡。所以要是我們沒有定期替自己家裡的狗除蟲，牠們的危險可是更勝狐狸。

或許我們之所以喜歡誇大來自野地的危險，也只是因為不這樣做，好像就沒有其他值得害怕的東西了。又或許我們體內那種古老的本能反應，就是必須宣洩在某種「危險的東西」上？當野豬身邊帶著幼仔時，情況可能會略顯不同。一個住在柏林達勒區的老朋友就跟我描述過，他們就算連連大聲擊掌，都無法將這種動物從花園趕走——在城市裡的人最多也只能這樣做。

像老鷹這樣的大型猛禽，是另一種會尋求生活在人類周遭的動物類型，牠們甚至會把目標鎖定在某些特定的人身上。這種鳥早期曾經是人們獵捕與追蹤的對象，但是自從被列入保護之後，牠們卻喜歡待在人類四周，特別是那些擁有牽引機的人。只要夏天時農人開始割草，牠們就可以盡享漁翁之利，因為這部重型機器不僅能夠割草，還會把為數可觀的老鼠和其他小動物送上西天。聽起來不怎麼美好，事實上也並非好事，然而對老鷹來說，這卻是免費送上門的現成美味。因此只要牽引機一出現在田野裡，就連我們胡默爾小鎮都可以發現這種氣度恢宏的鳥的蹤跡。牠們會伸展著寬達一點六公尺的雙翼，低空滑翔在這部機械之後，頻頻搜尋著被碾平的老鼠或壓碎的幼鹿身體。

人們比較不樂見的動物是鼬，雖然牠們的長相其實非常漂亮。因為在人類居住的地方不會遭受獵捕，森林與田野裡那種早期常見的捕捉陷阱又已銳減，牠們對於人類的恐懼感，也大幅度地消失了。我們就曾經養過一隻不幸變成孤兒的鼬，牠可以耐著性子讓人撫摸，並像一隻心滿意足的小貓從喉嚨發出咕嚕咕嚕聲。一開始我們給這隻小鼬吃的是罐頭飼料，但是為了讓牠可以提早適應日後回歸林野的生活，牠的早餐菜單裡也包括了老鼠；不過一轉眼這個小傢伙就變得野性十足，跟牠接觸時我們非得戴著手套。直到有天我們終於把籠子的門打開，讓牠自己決定什麼時候要離開；經過三個夜晚後，這個時刻還是到來了：籠子空蕩蕩的，我們再也沒見過這隻小鼬。不過話說回來，誰知道呢？說不定牠晚上還是會一溜煙地出沒在我們的土地上，畢竟鼬的壽命可以超過十年。

我們的「拯救行動」是否讓自己得到了什麼回報，倒還是個問號。我們在森林工作站的家門前總是停了兩部車：一部我是到森林裡去工作時開的越野車，另一部則是自用的私家車。一天早上我在那部吉普車引擎蓋前的地面上發現了一段橡皮管，我很快地打開了車蓋，然後看到了令人氣結的「好報」：某隻鼬肯定費了不少工夫，才能把一堆電線與管線都咬得如此支離破碎。這下一來，跑一趟維修廠自然是免不了了。

但是動物為什麼要在引擎箱裡如此大肆蹂躪糟蹋呢？為什麼有時候鼬的身上，會帶著這種具毀滅性的怒氣？順便一提，其實鼬這「種」動物並不存在，因為在中歐地區有兩種鼬科動物：分別是松貂與石貂。松貂是種害羞的森林動物，除了喜歡在樹洞裡睡覺外，其他時候牠就是身手俐落地活動於樹冠層的枝椏間。石貂相反地在活動空間上則並不是那麼受限於樹木，牠在其他環境中也可以如魚得水，而這可能是在岩石上、洞穴中，或是在人類的屋子裡，而後者對牠而言不過是種方形的岩山。好奇的石貂會潛入這裡尋找獵物，並用牠鋒利的牙齒細細探索一切。

不過引擎箱裡咬斷的電線、毀損的橡皮管，以及刮破的絕緣墊並非出於好奇心，而是源於極度的忿怒。這種小型掠奪性動物一旦認為自己面臨了競爭，的確能夠變得火氣十足。鼬科動物會以氣味腺體來標記自己的領域，以向所有同性發出「這裡有貂！」的清楚訊號。通常其他同類都會尊重這樣的氣味界線，如此一來彼此也能圖得安寧。因為引擎蓋下的空間是如此地溫暖舒適，你的車子也就來了固定的房客——一隻石貂，有時候牠會在那裡存放一些糧食，我們就曾經在汽車電瓶旁發現過一隻兔子的小腿。不過這樣的造訪，其實並不會帶來任何破壞或損害；情況會變得嚴峻，通常是某次你把車子停在一個陌生的地方過夜之後。

這裡也有牠的同類在四處漫遊，牠們會探索陌生的物體，翻遍整個引擎箱，然後留下自己的氣味痕跡。然而當你的車子再度回到自家的土地上，「你家的」石貂卻因此困惑驚異不已；根據種種的跡象牠只能做出一個推論，有人破壞了所有的遊戲規則，不請自來地使用了牠最愛的巢穴——這完全是一種羞辱！在高漲的怒火中，牠會採取極具攻擊性的行動，試圖除去對手留下的所有痕跡。那些柔軟的橡皮管此時最適合用來洩忿，不同於試探時的小心輕咬，現在牠會把它粗暴地啃斷撕碎。

我們經常可以從安裝在引擎蓋內側的絕緣墊，解讀出這隻動物到底有多麼忿怒。有時候那只是一些刮痕，然而在我們的老 Vectra 車遭到破壞的例子中，所有的材料都被撕碎到破爛不堪地垂下來；要能夠做到這樣，這隻石貂顯然是以躺著的姿勢瘋狂地向四周發動攻擊，然後以牠的利爪把整塊絕緣墊撕扯下來。因此所謂的「汽車鼬鼠」其實不見得是熱愛（咬）汽車，牠只不過是痛恨挑釁競爭。如果你的車子晚上總是停在同一個地方，這種慘劇應該也就不會發生。

為了要遏阻這不速之客，一直以來民間就流傳著數不清的各種祕方。例如在引擎箱裡掛一小袋人類的頭髮或一塊馬桶清潔除垢錠，算是最多也不過只能維持幾天效果的手段。我們有很長的一段時間則是把胡椒粉撒在引擎上，不過這個妙方也無法長期奏效。真正能夠讓人一勞永逸的，是一種由踏板組成的電擊裝置，把它安裝在這種小動物習慣進入的位置，牠就會在第一次接觸後從此避之唯恐不及。同樣有效的，還有一種依動作而反應且帶著閃光的超音波裝置；然而不斷發出超音波的裝置會讓動物變遲鈍，持續的噪音也會危害蝙蝠和其他動物的健康，因此我並不建議使用這種手段。

至於我們的寵物又是哪種情況呢？牠們是因為崇拜我們，所以才心甘情願地留在我們身邊嗎？抑或是基於恐懼感，讓牠們離不開人類？其實只要牠們周遭存在著一道圍籬，這個問題就根本是多餘的，雖然牠們自己或許並不這麼想，但不管是牛是馬，或是我家的山羊，嚴格來說都是人類的囚犯。這裡有個可能會讓人不怎麼舒服的比喻——它與斯德哥爾摩症候群有關。

發現這種現象的人，是美國的精神病學家歐什博格（Frank Ochberg），針對一九七三年發生在瑞典一家銀行的搶案，研究了加害者與受害者之間的關係。在這個案例中，被挾持的人質對於三十二歲的綁匪，發展出了一種類似孩子對母親才會產生的情感，對於警方與有關當局卻充滿了敵意。這種矛盾的情緒發展，其實在許多類似的情況中都會出現，它被認為是一種精神上的防衛反射機制，為的是讓自己在深陷危急時多少可以全身而退。[64]

假如動物也擁有像人類這樣敏感細緻的心思（我確實是這樣認為），或許也會發展出類似的策略。在剛被人類捕捉囚禁起來時，牠不會立刻對我們產生信任，而是會充滿懷疑地保持距離；通常要一段時間之後，牠才會在遠遠看見我們走向草地時，滿懷喜悅地迎向前來。把山羊和馬一輩子都關在一道圍籬之後，是不是聽起來很醜惡？這樣的生活，一點都不符合牠們的自然天性。但是也別自欺欺人了，只要有辦法，這些動物當然會立刻溜到其他地方去；不過如果牠們真的發展出了某種斯德哥爾摩症候群，倒會是個最好的結局，因為如此一來牠們便會安於自己的命運，不覺得被囚禁是件難以忍受的事。

我家的山羊和馬兒喜歡待在我們身邊，這點我們在草地上工作時就經常可以得到確認，不過這種熱切歡迎我們現身的喜悅，當然也可能是與餵食有關——那麼我們在牠們心目中的高人氣，也只不過是因為我們幫忙外送了食物……

狗和貓的情況看起來就有點不同。然而這種差異，在人類與牠們的關係剛開始時並不存在，因為那也是一種非自願的結合關係。牠們被人帶領回家，有好幾天的時間會處於一種被「拘禁」，或是出外散步時必須繫上繩索的狀態，直到牠們適應了我們，因此這種「適應」，並不全然出於自願。不過接下來狗和貓會重獲自由，並且從此之後其實也可以乾脆直接跑掉，然而牠們並沒有這麼做。更美好的則是在一些罕見的例子中，無主的貓或狗主動尋求與人類為伴，這樣的關係不帶絲毫強迫，顯示了人與動物之間具有真正的伙伴關係。

值得一提的是，這樣的關係也存在於不同動物之間。研究狼的專家拉丁厄（Elli Radinger）曾經告訴我，狼和烏鴉就會組成這樣的搭檔。根據她的研究，烏鴉喜歡與狼群一起生活，許多狼在幼狼時期就已經很習慣與這種黑色大鳥玩在一起。每當像灰熊這種體型較大的天敵出現在附近時，烏鴉會立刻向牠的四腳朋友發出警告；而狼酬謝烏鴉的方式，則是讓牠身披羽毛的好搭檔一起分享自己的獵物。

上流社會

躋身上流社會的兔子，可以活到七年之久。

你讀過《瓦特希普高原》（*Watership Down*）嗎？這是本動人的小說，主角是生活在英格蘭某郡的一群兔子，為了尋找新家，牠們向外遷徙，必須與當地的原住民對抗，最終為自己的族群贏得一方土地。

在我們林務工作站的花園裡，同樣也容納了一個兔子家庭，小榛子、愛瑪、小黑和奧斯卡一起生活在一個可以自由活動的小兔欄中，裡面還有一座可以遮風避雨的小屋。在這裡我們很容易觀察到牠們的社交生活，牠們之間偶爾會吵架鬥嘴，然而更多的時候是溫柔體貼。牠們會為彼此舔毛，在溫暖的夏日裡，則會把身體拉得老長、一隻靠一隻地依偎在涼蔭中。牠們當中當然也存在著位階順序，不過只有四隻兔子的小團體，能夠從中觀察到的也很有限。

然而，德國拜羅伊特大學（Universität Bayreuth）的馮霍斯特教授（Dr. Dietrich von Holst）

的見解就完全不同了，他在關於野兔的研究中，不僅設定了一個廣達兩萬兩千平方公尺的實驗區域，還在那裡觀察牠們長達二十年。這個過程中的野兔數量一直在變動，因為疾病與猛獸最高可以導致百分之八十的成年野兔死亡；不過另一方面因為這種嚙齒動物的確就像眾多俗諺裡所傳說的那樣多產，所以這個實驗區裡成年野兔的數量，也可以膨脹到有一百隻那麼多。這種數量上的增減狀況，在野兔社會的各階層中程度並不一致，兔子遵循著一種嚴格的位階秩序過日子，雄性與雌性還各有各的秩序原則。

在兔子的社會中，每個成員都必須竭盡所能地捍衛自己的地位，這麼做的理由很充分：愈占優勢的動物就愈能夠成功地繁衍下一代。居領導地位的公兔與母兔雖然比較具有攻擊性，但是整體來說卻也比較沒有壓力。這點聽起來很合理，畢竟在位階上受壓制者，經常是活在下一道攻擊不知會何時來襲的恐懼中；而那些居上位者，則只有在面對暴力的短暫片刻，荷爾蒙水準會相對升高。也難怪在馮霍斯特教授的研究中，證實了兔群的領導者有著較低的壓力值。

此外，兔子兩性之間的社交互動特別頻繁，這同樣有助於精神上的放鬆。成年兔子的平均壽命大約是兩年半，不過根據社會位階的高低卻有明顯的差異。相對於位階較低者，經常在達到性成熟後不到幾個星期就一命嗚呼，躋身上流社會的兔子，則可以活到七年之久。這並非因為牠們的食物比較充足，或較少落入獵食者的利牙中，都不是，起著決定性作用的因素應該是較少的壓力。免於恐懼且因此比較平靜安寧的生活，意味著得到腸胃疾病的風險較低，而對這些兔子們來說，這正是致牠們於死地的頭號殺手。

善與惡

在那個當下，我認為喜鵲是邪惡的，但是牠真的有這麼壞嗎？

動物並不是一種較為善良的存在，牠們也可能異常凶殘。而且這裡指的不僅是對於非我族類，才不是，同類之間的彼此相殘，只要往我們的花園看一眼，就立刻可以找到證據。

我們花園裡朝向馬路的這一面立了四個蜂箱，裡面的蜂群為了採蜜，總是勤奮地往返於田野之間。這是件既辛苦又費力的差事，為了生產一公克的蜂蜜，工蜂必須至少造訪八千到一萬朵花。[65]不過採集這些甜蜜的負擔，並不是為了像我這樣的養蜂人，而是要為在寒冬裡瑟瑟發抖的整個蜂群提供能量。假若夏天的工作成果不如預期，貯備的存糧也還不夠充裕，牠們就必須期待是否有另一個豐富的能量來源出現。然而有時候這並非是一處救命的繽紛花田，而是突然間在某處意外浮現的機會，例如附近一個衰弱的蜂群王國。

接下來牠們會出動偵察蜂來試探這支蜂群的防禦能力，如果它確實因為遭受寄生蟲害或因人類在農業上的殺蟲劑噴灑而變得衰弱，攻擊的號角就會立刻響起。激烈的戰火於是會在蜂巢的出入口點燃，可是防守的這方根本撐不了多久；終究在某個時候，敵人會占有全面的優勢，牠們會有如潮水般地蜂湧而入，踩過那些戰死的戰士，挺進蜂巢內部。這些入侵者會撲向蜂房，粗暴地撕毀上面的蠟膜，火速地把裡面的蜜吸進自己的胃裡裝滿，然後凱旋而歸；臨走前這些見獵心喜的打劫者，還會不忘幫自己的其他族人也打包一些，因為這裡存放的食物還綽綽有餘。

在這個衰微的蜜蜂王國四周，於是會呼嘯著幾千隻掠奪者飛行起降時翅膀鼓動的聲響；當整個巢穴終於被洗劫一空時，絕對的死寂會降臨這裡。我的花園裡不幸地也上演過這樣一齣戲碼，當我把遭遇劫難的蜂箱的蓋子拿掉時，眼前出現的景象完全只有蹂躪與毀滅。被撕得粉碎的蜂房，只剩下一些掉在箱底的蜂蠟碎屑，還有散落在其中的蜜蜂屍體。

更甚者，這些攻擊者現在會食髓知味，再也無法就此滿足。牠們學到了如果直接從鄰居身上下手，生活其實可以容易許多；因此日後只要有這樣的機會，牠們就會找到下個目標大幹一票。養蜂人自然可以把兩群愛爭鬥的蜜蜂分開，只要把其中的一個蜂箱移到幾公里外，讓牠們在那裡好好地冷靜下來。然而在自然界中當然不可能這麼做，這種殘酷的掠奪遊戲會持續進行下去，直到兩強交鋒，彼此牽制。

會有這種寒冬降臨前的恐慌反應的，不是只有蜜蜂。如同棕熊會冬眠，因此要準備的不是屯積冬糧，而是必須大吃特吃讓自己身上長出一層脂肪。同樣地，如果在這一年的秋天食物短缺，或是牠因為年歲過大覓食能力衰減，情況就會變得有點嚴峻，人類又何嘗不是如此？

一位動物影片編導告訴了我一個令人悲傷的故事：他的同仁崔德威爾（Timothy Treadwell）總認為自己是灰熊的朋友並且拒絕採取任何保護措施，一天他在阿拉斯加的卡特邁國家公園裡觀察一隻年老的公灰熊，或許因為在捕鮭魚時行動已經不再敏捷，這隻熊很明顯地還沒增肥到足以撐過接下來的冬天。這樣的動物，在內行人眼中特別危險，然而一如往常地，崔德威爾身邊既沒帶武器，也沒有胡椒噴霧劑。這隻老灰熊隨後對他發動了攻擊，而他也因此丟掉了性命；他在一旁的女友在驚嚇中目睹了一切，並且開始尖叫，但這種「呼叫獵食者」（也就是獵物在被獵食者追捕的過程中所發出的恐懼呼喊）或許正好就是一個信號，它提醒了掠奪者一旁還有更多獵物；因為人們後來發現了她被灰熊埋在營帳附近的遺體，代表最後連她都淪為這隻飢餓灰熊的犧牲品。一份聲音紀錄清楚重現了這對情侶在生命的最後幾分鐘所發生的慘劇。有部攝影機在這個過程中一直都開著，因為崔德威爾本來想要拍攝這隻老灰熊，雖然鏡頭蓋還沒取下，但至少聲音都錄了下來。

讓我們再回到動物的戰爭，如果就人類之間的武力衝突來定義，應該只有那些生活在大型社會群體裡的動物才能稱得上有「戰爭」。而在我們所處的緯度帶中，會出現類似我花園裡那種掠奪突襲行為者，就屬與蜜蜂、黃蜂及螞蟻有親戚關係的這類動物。如果只是個體間的單挑，我們只會說這是打鬥，就像許多公鳥或雄性哺乳類動物的行徑。

照這麼說，動物是不是真的可以既無情又凶狠？有時候我們的確會這樣覺得。我的辦公室裡有兩扇角窗，透過它我總能看到立在我們林務工作站前的一棵八十歲白樺樹。這棵老樹（白樺很少會老於一百歲）已經布滿歲月齒輪碾過的，或者應該說是啄木鳥咬過的痕跡，在樹幹上差不多五公尺高的地方有個天然的小樹洞，許多年來總有不同的鳥種會輪流來此定居。在啄木鳥之後，茶腹鳾也進駐了幾好年，直到某天來了歐椋鳥；這種全身有著許多斑點的鳥兒，開始在這裡撫育牠的下一代。

有一天，我耳邊傳來了響亮的啼叫聲，往窗外一看原來是一隻喜鵲。牠不斷飛向這棵老樹，隨後突然停在樹洞的洞口，並從裡面拉出了一隻歐椋鳥寶寶；牠將這隻雛鳥直接扔到樹下，然後開始啄牠的身體。我本能地丟下辦公室裡的一切，往外狂奔，這隻喜鵲又飛了幾公尺後，才放棄了牠的戰利品。這隻雛鳥雖然驚嚇過度，身上卻似乎沒有受到什麼特別嚴重的傷害；於是我拿了一把梯子，小心地把牠重新放回樹洞裡。幸好接下來在我能夠關注到的範圍裡，並沒有見到進一步的攻擊，所以這隻幼鳥應該得以與牠的兄弟姊妹一起展開新生活。

不過這整件事情的發展其實也可能並不怎麼正確，而且原因在於我。說穿了我有什麼權力去涉入這場衝突？好吧，我心疼那隻遇襲的歐椋鳥寶寶，無法眼睜睜看著牠被殺。但是從喜鵲的角度來看，那不正是一塊牠所亟需的可以餵飽自己孩子的肉嗎？如果在牠的孩子當中，有一隻正好就因為這樣餓死了呢？在歐椋鳥的孩子被硬是拖出樹洞的那個當下，我認為喜鵲是邪惡的，但是牠真的有這麼壞嗎？到底什麼是「惡」？這樣的特質是依個人立場與觀點而定的嗎？

如果是的話，那我在喜鵲的眼中一定就是個惡棍，因為我阻礙了為孩子獵食的喜鵲媽媽或爸爸。以牠所屬的鳥種來說，這隻黑白相間的漂亮鳥兒在行為上完全無可非議；然而我大概也是我這類型的人裡的一種典型代表，因為大多數的旁觀者應該都會頓生惻隱之心。

不過如果在一個突發事件中只牽涉到同種動物，情況又會如何？只要看看棕熊的例子，就知道這種現象在自然界中其實並不奇怪；因為對牠們來說，會對小熊造成致命威脅的敵人是公熊。每當交配期將近，公熊就會開始尋求可以交配的對象，然而腳邊跟著小熊的母熊對此卻興趣缺缺，為了一親芳澤，公熊常常會採取最省時省力的手段：殺掉小熊，然而不久之後，母熊就可以再上懷下一胎——這是大自然的緊急應變法則。

母熊因為知道這種狀況，通常也會盡量與那些潛在的求愛者保持距離。否則牠們會採取另一種策略，盡可能地與多隻公熊交配，如此一來，每隻公熊就都會認為自己是這個可愛小東西的父親，從此也就不再打擾這隻母熊與她的孩子。所以母熊的行為，的確是一種自我防衛的措施，而非單純的欲樂享受，這是維也納大學的研究者所發現的事實。他們在斯堪地那維亞地區對熊進行了長達二十年的觀察，確認了這種行為尤其會出現在某些區域——當一地有特別多的幼熊淪為這種攻擊的犧牲品。[66]

所以這些公熊凶惡嗎？到底什麼是「惡」？《杜登德語辭典》把它定義為「道德上惡劣且應受譴責的」，我們或許可以更明確地說，如果一項行動背後隱藏著不利於他人，也違背道德良心的意圖，它必然是「惡」。不管是喜鵲或是灰熊其實都沒有這麼做，因為在牠們各自的物種天性中，牠們的行為表現完全符合一般正常標準。

比較反常的，反倒是我家幾隻白兔的行為，那是某天我們為家裡增添的新成員。因為想要在鄉間一般常見的森林與草地雜交種兔之外，也換換口味養幾隻純種兔，我們開車到好幾個村子遠的地方，就是為了要去看看這種名為「白色維也納」的兔子。這種兔子有著一身討人喜歡的柔軟毛皮與一雙可愛無比的藍眼睛，這讓我們無論如何都非得帶回一小群不可。我們在林務站旁為牠們布置了一處寬敞的活動空間，不過這個角落恬靜美好的田園氣息，只維持了幾個星期。

有一天在我們來到這個兔欄時，赫然出現眼前的是地面上一團可憐悲慘的小東西；那是一隻母兔子，牠的耳朵被狠狠地撕裂到底，看起來就像兩片吊掛著的布。這慘狀讓我們震驚心痛不已，心裡只想著那種激烈的階級鬥爭，終究還是展開了。然而接下來的那幾天，不斷有更多帶著裂耳的苦難同志加入了傷兵的行列，我們的懷疑也經由觀察變成了定論：凶手是其中一隻母兔子，就是牠用利如刀刃的前爪，將這些殘暴的傷害施加在其他同伴身上。因此這隻殘忍無情的兔女士，為什麼是唯一還帶著完整耳朵四處蹦跳的成員，也完全合乎邏輯。不過牠也沒能再蹦跳多久，因為我們毫不猶豫地讓牠的一生（大家應該可以原諒我們吧？）結束在廚房的鍋子裡。

所以這隻兔子惡劣嗎？我認為是的，因為牠的行逕既不符合兔子的物種習性，在道德上也不正當。而且在牠的行為背後必定潛藏了惡意，這終究是牠的自主行為，並非受到其他同伴的鼓動。或許現在又有人要提出異議，認為這隻兔子說不定受過創傷，牠可能在小時候經歷過可怕的遭遇，因而有一些異常。這麼說固然沒錯，不過當我們在討論人類社會的為惡者時，情況不也總是這樣嗎？每一件惡行，只要它已經經過相當的釐清，我們都可以將它回溯到某一個點，直到它可以被合理化，也因此可以被原諒為止。

簡而言之，如果真要如此相提並論，就應該也要用同樣的標準來衡量動物與人類：這些為惡者是否具備能夠自決的自由意志？可以確定的是，許多動物也都擁有這樣的自由意志。

當小沙人*來了

微小如果蠅都必須睡覺，而且在睡夢中，牠也和馬兒一樣會手舞足蹈地蹬腳。

對我來說，若是少了普通樓燕的身影，就絕對稱不上是真正的夏天。牠們長得和燕子極為相似，但體型卻大得多，飛行速度也快上許多。帶著尖銳的鳴叫聲，牠們以驚人的速度呼嘯穿梭於城市林立的高樓之間，有時候是為了捕食昆蟲，但有的時候卻單純只是覺得好玩。

與其他的鳥類不同，普通樓燕一生中幾乎都在空中度過。這是因為牠已經完全適應了離地生活，以至於雙腳萎縮，細小的鳥爪僅剩下抓附的功能。當然，普通樓燕也必須偶爾降落以撫育下一代，而牠們在岩石或牆縫中築起來的巢，會採用方便自己降落的搭建方式；除了孵育雛

譯註

* 《小沙人》（Sandmännchen）是德國電視台的兒童動畫節目，從一九五九年開播以來，成為許多德國兒童必看的睡前節目。「小沙人」的故事在歐洲流傳了好幾個世紀，傳說他會灑下睡沙，為兒童帶來好夢。

鳥之外，這種鳥幾乎可以在飛行中解決所有其他的需要。連交配也經常是在高空中進行，即使如此一來會削弱牠們的感官能力。一隻正緊緊攀附在母鳥背上的公鳥，根本無法顧及牠的飛行性能，於是這樣一對深陷在愛情之中的鳥兒，常常就會雙雙下墜，為了避免摔得粉身碎骨，牠們只得屢屢及時分開。

不過，我想介紹的是普通樓燕的特殊睡眠方式。絕大多數的生物，包括樹木都需要睡眠，鳥兒會降落在一個能遮風避雨的小地方。我家養的雞只要暮色一降臨，就會乖乖回到雞舍裡，爬上梯子，然後蹲坐在竿子上，緊緊依偎在一起。如同大部分的鳥類，雞在蹲坐時肌腱會收縮，爪上的趾頭便自動彎曲，不費吹灰之力地緊緊鉗住棲木，這樣就不用擔心睡到一半摔下來。雞和所有的鳥類都會作夢，並且就和人類一樣，身體也會隨著腦袋中午夜小劇場的發展而有所動作。怕的是萬一牠做了個從竿子上掉下來的夢（如果野鳥就是從樹上），這時候牠們身上與此對應的肌肉功能會乾脆完全關閉，把頭安安靜靜地藏在翅膀中來度過夜晚時分。

至於普通樓燕呢？牠們從不棲息在竿子上，除非必要，一秒鐘都不願在巢中或地面上多待。當牠們想打個盹時，就會邊飛邊睡，這當然極其危險，因為牠根本無法好好掌控自己。於是，牠會乾脆往空中盤旋上升個好幾公里高，把自己與地面之間拉得夠遠，接下來再展開一場迴旋式飛行，讓自己在風中滑翔，緩緩地愈降愈低，只有這時牠才能享受片刻的假寐。就算想睡得更久也不可能，因為牠必須要在危險降臨和撞上屋頂之前，及時地完全清醒過來。

這樣牠真的能好好休息嗎？當然可以。因為對每一種動物來說，睡眠的意義都不相同。真要說它們的共同點，也只是會切斷或減弱外界的影響，這樣大腦內部作用才能不受干擾地運行。即使是人類的睡眠，也絕不是件單調無聊的事，研究證明它包含了幾個睡眠深度各不相同的階段。馬兒需要的深度睡眠也不用太長，通常幾分鐘就已經足夠；在熟睡時，牠們會如同中槍般地側身躺下，深深地沉入夢鄉，完全感覺不到外界的刺激，四肢還會抽搐抖動，好像自己正馳騁在夢中的大草原上。除此之外，與普通樓燕類似，馬兒每天只需要幾個小時的假寐。

微小如果蠅都必須睡覺，而且在睡夢中，牠也和馬兒一樣會手舞足蹈地蹬腳。所以，「動物也會睡覺」早已不是什麼新鮮事，真正引人入勝之處，是探討動物的睡眠方式，特別是，我們的動物朋友都在作些什麼樣的夢？

人類夜晚時的思緒遊歷，皆發生在所謂的「快速動眼期」（Rapid Eye Movement），此時眼球會在闔上的眼瞼下快速轉動，如果人在這個時間點被喚醒，幾乎都還會記得自己正在作的夢。許多動物在睡夢中也會這樣眼球抽動，而且腦部體積相較於身體的比例愈大，這種現象就愈頻繁。不過，動物當然無法「告訴」我們牠作了些什麼夢，為了一探牠們的腦袋瓜，我們必須另闢蹊徑才得以證明。美國波士頓麻省理工學院的研究人員，就對老鼠進行了試驗；他們先測量老鼠在迷宮裡熱切尋找食物時的腦部電流，然後再以此比較這些小老鼠睡覺時儀器所顯示的測量數據。結果，這兩者之間有著極為明顯的相關性，研究人員甚至只要根據資料就可以知道，這些沉睡中的老鼠，在夢裡正走到了迷宮的哪個角落。[67]

對於貓咪，科學家也已經有所發現。早在一九六七年，法國里昂大學的學者朱費（Michel Jouvet），實驗阻斷貓在睡眠時，肌肉會自動放鬆的機制；就像人體為了避免在做夢時舞動肢體造成傷害，或甚至起身夢遊，會關閉隨意肌的功能。這種只在睡夢中起作用的關閉機制一旦受到阻斷，旁觀者便可以和睡夢中的人一起經歷他的夢。朱費就是以此概念來觀察貓，看牠在最深沉的睡眠中，拱起背部、咆哮嘶吼，或是四處奔跑。貓咪也會做夢，自此拍板定案。[68]

如果把目光延伸到哺乳類動物以外的生物，觀察一下與我們在動物界的譜系樹上相隔遙遠的昆蟲，又會有什麼新奇的發現呢？在那小小的腦袋中，是否也會產生類似的作用？飛蠅的腦部細胞數量相對極為有限，也能在睡眠中製造出影像嗎？最新的研究顯示，這麼一小團細胞的能耐，確實要比我們想像的還要巨大。如前所述，果蠅在入睡時腳會抽搐，不僅如此，牠在睡眠時腦部也特別活躍，這是牠與哺乳動物的另一個相似之處。所以，果蠅也做夢嗎？牠的身體反應確實如此顯示，然而牠那小腦袋中會閃過哪些畫面（或許是熟透軟爛的水果？），我們至今還是只能猜測。

動物預言

為什麼相較於動物，我們對環境的變動卻是這麼後知後覺？

必須承認，從前只要牽涉到動物第六感，我總是有點半信半疑。沒錯，許多動物的確天生在某些感官上就比較敏銳，但是真的敏銳到足以察覺，事實上幾乎察覺不到的自然災害前兆嗎？不過，我也認為，這種第六感是野外求生的必要工具，而人類生活在自己文明打造出的環境中，雖然不至於完全喪失這種能力，但恐怕也早就把它給掩埋了。

「掩埋」在這裡是個關鍵詞，雖然不會有人想在火山爆發時被活活「掩埋」，山羊對此卻似乎有著特別深的恐懼，至少當我們在對應的情境下，詮釋牠相關的能力時會這般覺得。發現此現象的人是馬克斯・普朗克研究院的學者維克斯基（Martin Wikelski），他在西西里島埃特那火山邊的一群山羊身上，安裝了全球衛星定位發射器，後來確實觀察到，這群山羊常常會突然出現一陣騷動，就好像有隻狗正在威嚇牠們似的；牠們會驚慌地四處逃竄，爭相躲進灌木叢裡或樹下。而在這種騷動之後的不到幾個小時，總是會發生一次規模較大的火山噴發；而在規模較小的噴發活動發生之前，研究人員就觀測不到這樣的事先預警行動——為什麼要呢？

然而，山羊是如何察覺到的？研究人員也尚未有確定的答案。他們推測，可能是火山噴發前地底下逸出的某些氣體所導致。[70]

德國本土的森林生物，其實也具有辨識出這種危險的能力。火山在中歐地區絕對是個重要的課題，從我的故鄉埃佛區就能充分了解這一點；這裡還有許多抬頭挺胸、兀自聳立的老火山，其間則穿插了一些像拉赫湖*這樣的年輕火山地形。此處的「年輕」指的是它最後一次的噴發，大約是在一萬三千年前，而且可能隨時都會再度活躍起來。根據研究，當時約有十六立方公里的碎石與灰燼噴發至空中，掩埋了石器時代的村落，從德國中部一直到瑞典，都瞬間從白晝變為黑夜。所以，即使我們今天要再度經歷這種自然現象的可能性很低，它的危險還是不容小覷。

而在我們這裡，成為這個領域，或者最好是說成為某些學者研究焦點的對象則是「林蟻」。杜易斯堡—埃森大學（Univerisät Duisburg-Essen）的施萊伯（Ulrich Schreiber）教授和研究團隊，就為此投注了無比的心力與經費。他們在埃佛山區裡測繪了超過三千座蟻丘的位置，結果呈現出蟻丘的分布與地殼的斷層之間具有明確的相關，而這些斷層活動正是由火山或地震作用所引起。研究人員發現這些擾動斷層線的交會處，會從地底下逸散出氣體，讓這裡的空氣的組成明顯與周遭環境不同，因此特別聚集了許多蟻丘，可見紅林蟻十分喜愛這種條件，偏好在這裡建造出自己的城堡。[71]

每當我在森林裡途經這樣精巧漂亮的城堡，看見上頭爬滿了忙得不可開交的林蟻，總會聯想到這個研究結果。林蟻為什麼就是喜歡那樣的位置，至今仍無人知曉；不過至少有一點很清楚，和山羊一樣，牠們也能聞出氣體濃度的細微差異。而放眼全世界，這樣的類似報導則真是多如牛毛。

所以動物比人類敏感嗎？毫無疑問，動物在某些方面確實是明顯比我們要敏銳許多，像老鷹的視力比我們銳利，狗的聽覺和嗅覺皆比我們靈敏。然而，人類在各個感官的整體功能上，其實也已經與其他物種的平均狀態不相上下，但為什麼相較於動物，我們對環境的變動卻是這麼後知後覺？我認為原因就出於現代化居家與工作環境中過度氾濫的感官刺激。

我們聞到的氣味大多不再來自森林與草地，而是來自排氣管、辦公室裡的印表機，或是身上噴灑的香水與止汗劑；這些帶著人工氣味且四處瀰漫的嗅覺刺激，就這樣掩蓋了自然的氣味

——譯註——

＊拉赫湖（Laacher See）是位於德國萊茵——法爾茲邦的火山湖。

物質。只有當我們身處鄉下，且長期置身於大自然之中，情況才會有所不同；就像在我家這裡，一部冒著煙的機車所吐出的二行程柴油廢氣，即使在五十公尺的距離之外都還是聞得到；只要一下過雨，森林裡很快就會瀰漫著野菇的氣息，預告野菇大豐收的時刻即將來臨。

至於鷹眼般的視力，情況其實也很類似。那些從小就習慣坐在電腦前，或眼睛老是緊盯手機不放的人，自然會比喜歡在戶外活動的人更容易近視。根據德國美茵茲大學（Universität Mainz）最新的研究結果顯示，僅僅在二十五到二十九歲的年輕世代中，近視的人數就顯著地增加了將近百分之五十。[72]所以人類正在失去自己的「前景」嗎？幸好我們還有眼鏡。但是這種天生視力敏銳度的日益惡化，其實是有跡可循的。我們原本擁有理想的先決條件，幾乎和動物能夠察覺到自然現象的變化一樣敏銳，然而現代化的生活方式，卻一個接著一個地鈍化了我們的感官。我的耳朵也已經大不如前，過去出入夜店或射擊練習的經驗，成功地摧毀了我對某些音頻的聽力。不過幸好，我們還不必徹底絕望。

已經有所損壞的器官雖然無法再修復，我們的大腦卻能夠彌補其不足。每年灰鶴的遷徙活動，就是用來說明這點的理想例子：或許是因為衷心期待著這些傳遞季節交替訊息的使者，我常常即使是隔著隔音效果很好的門窗，還是聽得見遠方成群飛過的灰鶴；只要有一絲徵兆，或者更像是一種預感，等我真的走到門前，我就會看見遠方的天際，有一支V字型的隊伍凌空飛過。

這絕對與我們這章的主題「動物的預警系統」有關。遷徙中的灰鶴，可以顯示出遠方的天候狀況；牠們喜歡舒適省力地順風飛行，因此當牠們在秋天從北方途經我們這裡，就意味著寒冷刺骨的北風即將吹起，這一年的初雪也可能會隨之降臨。而春日裡牠們的大量出現，則是繁殖季節開跑的信號，因為把牠們從西班牙的越冬地區送回北方的溫暖南風，也會讓我們這裡的氣溫開始升高。

其實就連當下的氣溫，有時候也可以用「聽」的方式粗略推測出來。這聽起來好像很新奇刺激，可實際上卻再平常不過，因為此處能助我們一臂之力的，就是像蝗蟲或蟋蟀這類的昆蟲。這種變溫動物要在氣溫大於攝氏十二度時，才會準備開起演唱會，而且氣溫愈攀升，牠們就會鳴叫得愈快愈起勁。不過此時可能會有人反駁，用我們自己皮膚的感覺來推測氣溫不是更好嗎？這倒也沒錯，然而至少當人的身體處於活動狀態時，體內額外產生的熱會使這種推測變得更為困難。

與耳朵完全一樣，眼睛也是可以訓練的。我們能夠以眼鏡來矯正視力減弱的問題，不過如同聽力的例子，更重要的其實是腦部的反應，因為它會使我們對外界特定變化的敏感度增強。例如現在即使是透過眼角餘光，憑感覺到樹林裡那一片尋常綠意中找尋一點異樣，我也能夠發現野鹿；同樣地，遭受樹皮甲蟲危害的雲杉樹，在其樹冠與相鄰的健康樹木對照出顯著的差異之前，那微乎其微的顏色轉變，對我來說，其實也已經夠刺眼的了。不管是吹在我們臉上、透露著天氣即將生變的風，還是傳達出此刻天空僅有薄雲（因此也不會下大雨）訊號的微小雨滴，又或者是隱約暗示著遠處有腐敗動物屍體的異常氣味，所有的現象都拼湊成了一幅圖畫，讓我即使不用多費心思，還是可以持續從中得到有關四周環境與其所潛藏的危險的最新資訊。

或許你也剛好是個對天氣非常敏感的人，早在蔚藍的晴空裡開始浮現雲朵之前，就有辦法說中天氣預報的內容。雖然對於這種敏銳性到底從何而來，會不會是某種細胞膜特異的傳導功能，學術界也尚未取得共識，但是無論如何，它就是能奏效。至於那些成天暴露在各種環境刺激中的自然住民們，又是以比我們密集且深入多少的方式，在解讀森林與田野呢？就我而言，在大自然裡「淬鍊」感官的時間，只不過是我一天二十四小時中的一部分；然而，動物們卻是終其一生都在接受訓練，所以牠們對自然界中危險的預知能力可以比人類強上這麼多，可說一點兒也不奇怪。

假如動物真的能夠如此敏感，牠們有辦法做氣候預測嗎？譬如說，動物能夠預知接下來的冬天是否嚴寒嗎？有人就觀察到了松鼠與松鴉因此在某些年歲裡，特別預藏了比平常更多的山毛櫸樹種子與橡果。不過，要是因此認為這是一種聰明的預知，是為了度過漫長多雪的季節而未雨綢繆，卻要大失所望了；這些動物不過是把握了唾手可得的機會，利用樹木此時多到泛濫的種子來充實自己的糧倉。山毛櫸樹和橡樹大約每三到五年就會同步開一次花，如果前年的夏天因為極度乾燥而特別難捱，那麼這年的春天就經常會發生這種萬千花朵齊放的盛況。所以種子的豐收，以及松鼠與松鴉勤奮地冬藏，其實都是晚了一年才出現的現象。因此這個觀察所揭露的，最多只是有關去年夏天的「後見之明」。

所以由動物來進行長期的氣候預測是行不通的，不過如果只看短期的天氣變化，情況就會完全不同。針對這點，我最喜愛的動物之一就是蒼頭燕雀，雖然在有些混合林裡也有牠們的蹤影，但如同牠的名字 Buchfink，「山毛櫸樹上的燕雀」就表明了，這種鳥偏好生活在老闊葉森林裡。在那裡，蒼頭燕雀的公鳥會鳴唱著一種帶著轉音的美妙曲調，它的音律節奏，聽起來就跟我在念大學時所學到的口訣一個樣，「是、是、是——我不是神氣的陸軍元帥嗎——」，不過這種鳴唱只在天氣晴朗時才有幸聽到；當烏雲漸起，山雨欲來，牠只會鳴出一聲單調的「雷雷噓——」。如同我從每天的林區巡視中得到的確認，蒼頭燕雀雖然會以鳴叫聲來反映環境中的驚擾，對於人的出現卻安之若素；顯然相較之下讓牠更為不安的，是太陽消失在具威脅性的巨大積雨雲之後。

至於其他的蒼頭燕雀，是如何看待這隻消息特別靈通，搶先留意到天氣即將轉變，且對所有同類提出示警的伙伴呢?牠們難道就不能自己也抬頭瞧瞧,看看那道會帶來惡劣天氣的鋒面嗎?其實沒那麼容易,特別是在老山毛櫸森林茂密的樹冠層下,頂多只會覺得光線好像變暗了一些。唯有在處於從林下得以一窺天機的位置,也就是一棵巨樹倒下後,樹冠層所出現的缺口,或者直接就高踞在樹冠層之上,牠們才有辦法察覺到深具威脅性的災害。並非所有蒼頭燕雀的所在位置都可以得到這樣的好視野,這樣的預警信號才因此深具意義。

年華老去

在牠的餘生中，從此失去了沉入夢鄉的權利。

隨著年歲增長，動物也會罹患像痛風這樣的病症，這點已經廣為人知。然而，在老化的同時，牠們的腦袋裡又在想些什麼呢？牠們知道自己的體能正日漸衰退嗎？這個問題幾乎無法在科學上得到直接的答覆，不過透過觀察，我們或許能猜得八九不離十。

年邁時的身體狀態會讓人愈來愈戒慎恐懼，對馬兒來說，情況似乎確實也是如此，牠們當然完全有充分的理由。如前所述，這種動物通常擅長站著睡覺，對此牠們的膝關節構造先天就十分特別，在鬆弛或卸載時，膝關節會緊緊閉合，以避免放鬆的四肢彎曲折疊。此時牠會把身體的重心，輪流放在其中一隻用此方式固定了的腿上，其餘的三隻腿則只是以蹄尖與地面接觸；除此之外，牠的兩隻前腿也會承受較少的重量，並保持筆直。以這種方式，一匹馬可以站著假寐好幾個小時，然而這並非真正的睡眠。

為了保持建康與精力充沛，馬兒和我們一樣也需要真正的深度睡眠。為此，牠必須側身躺下，伸著直挺挺的四條腿，接著牠會帶著活躍的腦部活動與抽搐抖動的馬蹄，陷入香甜的夢鄉中；有時候，牠也會扯動著下唇，好像即使睡著了，仍然想要嘶鳴或進食似的。睡醒後的馬兒必須站起身來，但是帶著五百公斤的體重和四條長腿，這可是件極為費力的事。牠必須先使勁把上半身抬高，然後順勢一躍，好讓自己的後半身也站立起來。

對一匹老馬來說，要有足夠的氣力把自己從地上拉起來談何容易，因此我們可以觀察到，牠實在很害怕躺下；即使想要側躺睡下，以獲得真正的放鬆，為了安全起見，牠只好選擇繼續站著，試著以假寐來滿足自己。這樣當然不太妙，因為完全不睡覺，只會讓牠的體力衰退得更加迅速。牠自然也十分清楚自己正處於危殆之中，因為再也無法站起身來的馬兒，不但器官會迅速衰敗，若是恰好有隻飢餓的猛獸從旁經過，鐵定會在最短的時間內斷送性命。然而，隨著要站起來日發困難，牠能夠享受深層睡眠的次數只會愈來愈少。在我家的兩匹老母馬身上就能夠觀察到這個現象，已經高齡二十三歲的嬉皮，比起年輕牠三歲的布里姬明顯地更少躺下來睡覺。直到最後，擔心自己再也起不了身的恐懼會凌駕一切，於是在牠的餘生中，從此失去了沉入夢鄉的權利。

在年邁的母鹿身上，我們也可以觀察到老化帶來的轉變，除了因為肌肉萎縮而顯得有些瘦骨嶙峋之外，產生變化的還有牠的行為。容我這麼說吧，牠會變得性情古怪且喜歡爭吵，不過這或許也難怪，因為牠可能一度是鹿群的領袖或受眾人仰慕的女神。雖然母鹿即使年事已高還是具有生育能力，但牠所產下的小鹿卻註定要從小體弱多病。帶著一口使用多年且幾乎已經完全磨光了的牙齒，老母鹿再也無法好好地咀嚼食物，因此鐵定經常餓著肚子，這會讓牠更加形銷骨立。牠的乳房不僅乳量不足，脂肪含量更少，使牠的孩子也得一同挨餓。也難怪這些小鹿特別容易生病，也特別容易淪為掠奪者利齒下的犧牲品；如同前面提過的，這樣的遭遇，對老母鹿在群體中的地位又更進一步地產生負面影響。任誰落入此等光景，心情應該都不可能好到哪裡去吧？

在動物的研究中，我幾乎還不曾讀到談論「失智症」的主題。以動物為對象的醫療服務發展可說是與人類的齊頭並進，所以今日的寵物明顯比從前更加高壽，我家的馬克西可說就是個最好的實例：牠享有完善的食物供給，注射了各種疫苗，病了就看醫生，醫生還會定期幫牠清除牙結石，以鞏固牙齒的咬合力。然而，看似一切安好的馬克西卻在十二歲那年的某一天，突然步履蹣跚，醫生迅速診斷出這是中風。這帶給我們很大的衝擊，一隻原本活蹦亂跳的狗兒，突然間就得面對生命的盡頭。幸好因為對症下藥，且注射治療的效果良好，馬克西很快就痊癒了，雖然各項能力都逐漸退化，牠還是度過了相當精彩豐富的晚年。

有一天，牠突然就失去聲音了，而且從此再也沒有吠叫過，這當然沒有給我們帶來特別的困擾。接下來，連聽力也向馬克西道別，這就比較惱人了，因為從此我們只能靠眼神來溝通交流。但是無論如何，這隻狗兒的生活仍然充滿喜悅。但就在牠生命里程的最後一年，連牠那小腦袋裡燃燒著的火光也慢慢熄滅了，馬克西終於再也認不得我們。此外，牠還會在牠的小窩裡連續轉上好幾個小時，看起來似乎是想找個舒服的位置躺下，卻偏偏又沒有這麼做。後來，牠連食量都愈來愈小，瘦到只剩下一把骨頭，並被診斷出癌症，懷著沉重的心情，我們終於請求醫生幫助牠從痛苦裡解脫。

在馬克西之後，來到我家的可卡獵犬貝瑞，在牠十五年的生命結束前，也經歷了一段類似的命運。不過牠的晚年除了心智能力喪失以外，還有失禁的問題，這著實也讓我們忙得不可開交，用掉了大量的地毯清潔劑。在此同時，針對寵物終於出現了對抗醫學上稱為「認知功能障礙症候群」的療法與藥物了。

我認為動物應該也逃不掉苦於失智的命運，至少以所有較高等的動物來說。一些養貓的朋友，就敘述過家中愛貓的類似遭遇，科學家在這些動物的腦部，的確也找到了與人類患者一樣的堆積物與變異。連我家的那一小群山羊中，都出現過一位失智者；牠再也分不清東西南北，有一天要不是兒子努力不懈地搜尋，我們應該再也見不到正安適躺在森林小溪谷裡的牠了。

不過，因為失智症患者很容易淪為肉食動物的嘴上肉，這讓我們很少能在自然界裡觀察到牠們。牠們經常會脫離同類的隊伍，這等於是釋放出自己毫無防備的訊息；腦袋不再靈光的生命，終將遭到命運無情地剔除淘汰。當然，強勢如獵食者也逃不過這樣的命運，即使不會成為其他動物利齒下的亡魂，也必然會因無法狩獵而活活餓死。

然而，若是在大限將至之時，腦袋依舊清醒，心智也完全正常，情況又會如何？動物會知道自己命不久矣嗎？雖然為數不多，但確實有些人能預見自己的死亡。他們要不是因病而預知了自己的死期，甚至可以精準到知道是在哪一個星期，或純粹是因為老了、倦了，而寧願一死：死亡對他們來說，根本不是意外。動物的狀況其實也很相似，譬如我們有幾隻年事已高的母山羊，會在臨終前獨自離開羊群，只為了能在寧靜中死去；牠們肯定是知道時候到了，才會採取這樣的自我隔離。牠們會在草地上找個較為僻靜的角落，或者躲進開放式的小羊棚裡，在炎炎夏日，其他的同類不會在白天待在那裡。牠們會安安靜靜地躺下，等待死神降臨。

這些我又是如何得知的呢？其實從動物死亡時的狀態就可以看出來。我們最喜愛的一隻山羊史溫力，死去時的姿勢就是收起四肢，然後讓自己舒適地以肚貼地躺下，在這種姿勢下，山羊通常可以睡得很放鬆。相反地，如果一隻動物在死前充滿了痛苦的折磨，地上會有四肢掙扎的痕跡，並會以側身躺下，頸部會後仰，舌頭也常常會懸在口外。總之，只要曾經親眼目睹，就可以知道這隻動物在牠生命最後的幾分鐘裡受盡折磨。但是我們的史溫力並非如此，牠顯然知道自己大限將至，然後在平靜祥和中走向生命的終點。

這樣的行為，不僅讓我們與牠的道別容易許多，在野生動物的世界裡，這對於牠的同類也有益處。因為年邁衰弱的動物會構成危險，牠們動作遲緩，容易招來有所覬覦的掠奪者。如果牠們可以及時脫隊，就能避免在牠之外，還有其他的年輕同類也慘遭撕裂的下場。

陌生的世界

我們周遭存在著無數個萬千世界……

大自然的景致通常是如此寧靜和諧，就像一首田園牧歌，令人輕鬆自在、悠然神往。那翩翩飛舞於草地繁花之間的蝴蝶，被蔥綠灌木襯托得清新亮眼的白樺樹幹，樹梢上在風中輕搖款擺的枝椏……對我們來說，這些景象確實充滿了療癒的效果，然而這純粹是因為在這片開闊的田野間，對人類幾乎不存在任何危險。對於那些生活在其中的動物居民來說，情況並非如此，因此牠們看待這「田園風光」的方式，自然也與我們大相徑庭。

只要觀察一下不同的蝶類與蛾類，就會發現兩個關鍵性的差異：首先，主要活動於白天的蝶類，多半美麗繽紛，譬如像孔雀蛺蝶。這種蝴蝶彩色的翅膀上有著逼真的大型眼斑圖案，目的是要嚇阻鳥類及其他天敵；再者，牠們的身體與翅膀表面的細毛也較少，這樣上面的圖案才能足夠清晰讓攻擊者留心。主要活動於夜晚的蛾類，色彩則很是單調，因為牠們在白天時，通常是在樹幹或枝椏上休憩等待暮色降臨，灰和棕是牠們最常見的顏色。在白晝裡，棲息中的蛾類由於動作遲鈍，很容易淪為鳥類手到擒來的獵物。許多鳥有著無比銳利的眼睛，即使是些微的顏色差異也能察覺；所以要是有隻飛蛾不慎選錯了樹，棲息在與自己翅膀顏色不搭的樹皮上，接下來可就要自求多福了，牠很有可能再也見不著明日的太陽與月亮。

為求生存，動物甚至會讓自己適應這個處處被人類文明改造過的世界。就像樺尺蠖，這種蛾類的白色翅膀上有著黑色的斑點圖案，這正好與白樺樹皮的顏色一樣；平展著寬幅約為五公分的雙翼，牠特別喜歡棲息在這種樹木的樹幹上。不過在英格蘭，白樺樹的「白色」樹皮大約只維持到一八四五年左右，在那之後由於興盛的工業活動與煤的燃燒，大量的煤灰被排放至空氣中，四處飄散沉降，連樹皮上都累積出一層又黑又髒的汙垢。於是這種原本有著最佳偽裝的動物，現在卻變得異常醒目，有數十萬隻都成了鳥兒的嘴下亡魂，直到剩下一群「非我族類」。

其實這些「非我族類」一直都存在，就像一群白羊裡的黑羊一樣，牠們是長著深色翅膀的黑色樺尺蠖，在此之前這個特徵根本等同唯一死罪，然而現在這些體色深暗的物種卻搖身一變成為贏家。牠們不僅生存了下來，還在不到幾年之內，讓自己成為當地的絕對優勢種。一直要到一九六〇年代末期，空氣汙染防制的法規通過後，隨著白樺樹恢復本色，情勢才又再度逆轉。一九七〇年的《時代週報》（*die Zeit*）上也才會有此報導：白色物種再度榮膺最常見的樺尺蠖。73

不過，所有東西在夜色中，看起來都會不太一樣。顏色此時並不重要，因為昆蟲的終結者「鳥類」正棲息在樹梢枝椏上，這時候會登場的獵人是蝙蝠，牠很少用眼睛來幫忙獵食，而是用牠的超音波絕技。蝙蝠會先發出高頻率的聲波，接著傾聽從周遭物體或可能的獵物身上反射的回音；所以視覺上的偽裝在此時此刻毫無用武之地，因為這隻會飛行的哺乳類動物，是用耳朵來「看」東西。除非你有辦法讓自己不被牠的耳朵「看見」，而這又該怎麼做呢？

一個可能的作法是不讓聲音反射回去，而是將其吸收。這也是為什麼許多在夜晚活動的蛾類全身覆滿細密的毛，因為這些細毛會捕捉蝙蝠發出的聲音，或者更精準地說，是讓聲音混亂地向所有可能的方向反射。如此一來，蝙蝠在接收到回音訊息後腦中所浮現的，並不是一幅清晰的蛾類影像，而只是某種模糊不清、可能就跟塊樹皮一樣的東西。

鴿子眼中的世界也跟我們完全不同，牠們雖然與人類一樣都是視覺動物，都強烈地依賴視覺感官，且因此很需要白晝的光，但是除了人類生活空間裡所有可見的細節，牠們顯然還能從空中察覺到其他的東西：鴿子飛行時可以見到偏振光（也就是光波的振動方向）*所呈現出來的

——譯註——

* 陽光經由大氣層中微粒的散射會出現偏振現象，人的眼睛並無法直接察覺這種偏振光，但許多動物對此卻非常敏感，因此會利用光的偏振模式來進行導航。

圖案，而這種偏振光則對準了北方。這意味著鴿子在白天時，根本隨處都有無形的羅盤可供參考，也難怪信鴿即使在遠距離的飛行中，都能明確地掌握方向，並且總有辦法找到回家的路。[74]

如果在蝙蝠的例子中，我們可以接受聽力是一種額外附加的「視覺」，那就應該也可以將這種觀點擴及其他動物，試著了解牠們的感受，以及牠們是生活在一個怎麼樣的主觀世界中。例如狗兒，牠們的視覺天生就發展得比人類差，然而這種缺陷，是否可完全由嗅覺與聽覺來彌補？如果只有透過眼睛得到的整體印象，才能把周遭環境完整地描繪出來，那我們在評估過狗的視力之後，應該會對牠眼中的世界完全摸不著頭緒，牠絕對迫切需要戴眼鏡！狗眼睛裡的水晶體並不擅長調整遠近，所以物體必須在近到在牠眼前約六公尺時，牠才能夠看清楚；然而只要物體與牠的距離小於五十公分，影像就又會開始模糊。所有的影像，都是透過牠大約十萬條的視覺神經纖維來展現的；而人類的眼睛，相對地則大約有一百二十萬條在運作。[75]

不過即使是對我們這種視覺動物來說，只靠眼睛仍然是遠遠不夠的，你可以做個小實驗：假若你正置身於充斥著各種談話或車輛噪音的環境中，那麼就試著把耳朵緊緊地「關」起來一下；重要的不是你現在會幾乎聽不到任何聲音，重要的是你對整個環境的空間感會瞬間改變——因為它的景深不見了。所以對於十分仰賴耳朵，聽力比我們敏銳十五倍的狗來說，牠所看到的影像又會是什麼樣的呢？

試想每一種動物，都以截然不同的方式來觀看與感覺這個世界，如此一來，我們周遭就存在著無數個萬千世界……這種想法總令我深深入迷。而在我們的緯度帶裡，還有許許多多這樣的世界在等待著被發現；僅僅在中歐地區，除了那些已經被介紹過的物種之外，還有好幾千種不同的動物，只因為太過渺小而入不了人類的眼，牠們的存在尚未被系統化地研究過。也因此很令人遺憾地，對於牠們的感受我們一無所知，因為要是一種動物對人類沒有明顯的重要性，幾乎就不可能得到任何資金補助來研究牠。假若沒有人知道這些小生物的內心世界，不知道牠們是否有任何需求，是否在商業性林業經營的環境中吃盡苦頭，也就不會有人替牠們發聲與爭取保留地。

譬如我就極其渴望知道，那些象鼻蟲的小小腦袋裡到底在想些什麼。有些種類的象鼻蟲已經失去了飛行的能力，但牠們卻令我一見鍾情：想像一個超級迷你、身長只有兩毫米的小傢伙，外表看起來卻像一頭大象！牠們在頭部及背部長著整齊的條紋狀毛髮，看起來像極了梳著一頭莫霍克髮型*。牠們完全適應了在原始森林腐爛落葉裡的生活，此處的特點是幾乎不曾發生

——譯註——

* 莫霍克髮型（Mohawk）是剃光兩側只留下中間部分頭髮的髮型，其名稱源於北美原住民莫霍克人，台灣俗稱為「飛機頭」。

過任何改變。到處生長的山毛櫸樹，構成了極為穩定的社會共同體，其中的樹木會透過彼此根系的結合生長，活躍地傳輸著養分或甚至是訊息，因此不管是暴風雨、昆蟲或甚至是氣候變遷，幾乎都無法對它們造成危害。這種環境讓象鼻蟲得以過著寧靜詳和的生活，安心地慢慢咀嚼牠最愛的枯葉大餐。

這類甲蟲被稱為原始森林的遺留物種，也就是說，牠們原生於我們最初始的自然環境中，在今日被視為是一種指標：只要找得到牠們的地方，必定也存在著至少有上百年歷史的闊葉森林。身為一隻這樣的象鼻蟲，誰會想要遊走他方呢？而且在這裡又何需翅膀？費力遷移至他處太過多餘，牠們可以世世代代都待在同一個地方，安安靜靜地老去。萬分慶幸，在我們林區的保留地裡也可以讓牠在這裡養老，因為這裡曾發現過一種象鼻蟲的蹤跡。不過此處所謂的「變老」，必須按照象鼻蟲的標準來衡量，因為這些小傢伙只要能活到一歲，就算是步入高齡了。

然而，沒有翅膀就很難逃出生天，而像鳥類和蜘蛛這些嗜吃象鼻蟲的天敵可從來都不少。如果跑不了又躲不掉，但內心又充滿恐懼，那就必須要另謀求生的招數，而象鼻蟲在遇到狀況時的絕招，就是一翻兩瞪眼地裝死。藉由身上的圖案且與落葉顏色接近的保護色，這會讓敵人難以發現牠們，可惜對於森林的訪客也一樣，因為以牠們只有二到五毫米長的迷你尺寸，想看象鼻蟲的人大概要帶把放大鏡才行。

至於這些小傢伙除了恐懼之外，還能感受到什麼，受限於缺乏進一步的研究，我們也只能猜測。不過即使是如此，向大家介紹象鼻蟲還是十分重要，因為牠代表著許多雖然不是我們的關注焦點，但至少已經贏得某些注意的物種。環繞在我們身邊的生命多樣性是如此美好，羽翼繽紛的鳥類、毛絨絨的哺乳類，奇妙有趣的兩棲類，甚至是好處多多的蚯蚓……引人入勝的生命形式隨處可見，但這正是我們的弱點，因為我們只會欣賞、讚嘆那些眼睛「看得見」的東西；而在動物的世界裡，絕大部分的生命是如此微小，只有借助放大鏡或是顯微鏡，牠們才會讓我們揭開面紗。

那麼至今已被發現超過了一千種的水熊蟲，又是怎麼樣的一種生命呢？有著八隻腳和可愛柔軟的身軀，使牠們看起來真的就像是多長了幾隻小腳的超級迷你熊。這種大小只有一毫米左右的真後生動物（牠們在科學上被歸類於這個動物亞界），喜歡很潮濕的環境，因此德國水熊蟲最喜愛的生活空間，就是同樣也性喜濕潤且保水能力又特別好的蘚苔。在一片蘚苔中，這些小小熊會忙得不可開交，依據種類不同牠們有些吃的是植物，有些則會捕食比自己更小的生物，譬如線蟲。

不過如果牠的家在炎炎夏日中缺水枯萎了，那該如何是好？我林區裡的那些美麗的蘚苔綠墊，就長在粗壯山毛櫸樹樹幹的底層，夏天時就經常因為缺水，而乾得摸起來簌簌作響；可想而知，水熊蟲在此時也得不到一絲水分，於是接下來牠會採行一種極端的休眠形式：讓自己完全脫水變乾。只有營養充足的水熊蟲，才能夠在這個過程中生存下來，因為牠身上的脂肪在這裡扮演著重要的角色。假若失水的過程發生得太快，牠的下場就唯有一死；而水分若散失得夠慢，這隻迷你動物就可以讓自己循序漸進地適應狀況，牠會逐漸地脫水，同時把所有的小腳縮進體內，整個身體的新陳代謝作用就會歸零。

在這種狀態之下的小水熊蟲，幾乎可以撐過一切絕境：因為身上所有的生物活動都已停頓，因此不管是炙人的高溫或刺骨的嚴寒，都無法對牠造成絲毫損害。此時的牠當然也不再做夢，因為腦中劇場的活動也會消耗能量。到頭來，這其實是某種型態的死亡，因此牠自然也就不可能繼續「老化」；於是原本就壽命不長的水熊蟲在極端情況下，可以「活」上好幾十年，直到某天牠的救命甘霖終於降下。

那片蘚苔會再度飽吸水分，而那小小的僵硬身軀亦然；直到牠再度伸展出所有的小腳，體內所有的機能構造也再度全效運作，整個過程只需要區區二十分鐘。然後，這個小傢伙便會重新投身於牠的尋常生活之中。

人造生存空間

我們的城市對野生動物而言是否代表著邪惡之地？當然不是！

因為人類持續的活動，我們的地球已逐漸遠離了她最初原始自然的樣貌。人類開發、建設，以及擾動過的土地，已然高達陸地總面積的百分之七十五！然而動物所有感官的發展，都不是為了要在水泥森林和柏油路面這種環境裡求生存，而是為了要適應森林、沼澤或尚未遭破壞的水域。人類到底有本事把動物擾亂到何等境地呢？我們或許可以從人為照明的例子裡瞧見端倪。

在歐洲地區，已經有一半的夜空被電燈給「汙染」了。僅僅一個約有三萬人口的小鎮，就能夠讓方圓二十五公里內的空間非自然性地亮如白晝。人們幾乎再也不可能觀賞到沒有光害干擾的星空，然而受影響的可不只是當地居民。許多動物，特別是昆蟲在夜晚活動時，是仰賴月亮與星辰來幫助定位，像夜蛾想要直線飛行時，便會參照月亮的位置來導航。舉例來說，當夜蛾想要直線前往西方，牠就會讓月亮一路都保持在自己的左側，依此向前飛行。*可是這些鱗翅目的小生物，並不了解天上的月亮和我們花園裡一盞盞增添溫馨氣氛的燈火有什麼差別，於是當牠們鼓動著小翅膀，翩翩飛舞到鬱金香與玫瑰花叢間，定位系統會立刻產生一百八十度的大轉變。

黑夜裡最強的光源當然是月亮，不是嗎？接下來牠會試著讓新發現的「月亮」保持在身體左側，以此相對位置來鎖定飛行方向。可惜這盞燈離牠並非三十八萬四千公里那麼遠，而是只有咫尺之遙，因此夜蛾繼續往前直線飛行的結果，是「月亮」很快便會落在牠的腦後。在牠看來，這就像是自己誤採了弧形航道，因此接下來我們的小小飛行員會修正航道並持續偏左飛行，以使自己再度保持在「直線飛行」的狀態。如此一來「月亮」是正確地回到了牠的左側，但事實上這隻小動物卻落入不斷繞著一盞燈轉圈的窘境。這螺旋式的航道會愈來愈窄，直到最後終止在中央的「月亮」上。如果這顆人造月亮是盞燭火，在一道短暫隱晦的「噗」聲後，就是一條生命的結束。

不過即使不以這樣的悲劇來收場，情況也已經足夠棘手。當飛蛾整個晚上費盡心力想要完成一段直線航程，結果卻總是不斷降落在一顆發熱的燈泡上，終究會把自己搞得精疲力盡。其實牠只不過是想到夜晚開花的植物那兒去採點蜜，卻不小心非自願地進行了幾個小時的夜間瘦身特訓。然而彷彿這還不夠糟，一些掠奪者甚至還根據這種新狀況來調整捕食行為。例如鬼蛛屬的蜘蛛，就經常在我們家門口的那盞燈下拉起牠的網，因為這裡獵物手到擒來，成果特別豐碩。一旦一隻飛蛾在牠沒有退路的螺旋狀航程中撞上這盞燈，牠的命運就是跌進一張黏人的蛛絲陷阱中，然後斷魂在母蜘蛛的毒牙下。

對於野生動物而言，馬路代表著一種特別的障礙。其實柏油路面乍看也沒什麼不好，至少昆蟲和爬蟲類動物可以利用它來取暖，讓自己快點達到活動體溫。表面深色的區塊因為容易吸熱增溫較快，在春天時，特別能夠幫助變溫動物（牠們自己能製造的熱量很有限）快一點動起來。不過這種好處，也只能在沒有呼嘯而過的汽車來殘忍結束這場日光浴時才算數。

除此之外，馬路當然絕對還具有其他吸引力，比方說對於野鹿。首先，車道兩側的斜坡因為定期除草，總是長滿了鮮嫩的草與各種開花植物；再者，為了用路人的安全，狩獵活動在車輛行經地區也是禁止的，因此這裡對於野生動物來說也特別安全。難怪我們在這個獨具特色的

譯註

＊ 月球繞地球公轉的軌道，和黃道（即地球繞太陽公轉的軌道，從地球上來看，亦即太陽在天球上運行的軌跡）之間有大約五度的夾角，所以由北半球觀測，月亮多位於南方天空，夜蛾就是以此定位。

群落生境*裡，總特別能在夜晚時見到數量驚人的野生動物。可惜這為數可觀的野生動物族群，卻也同時帶來了高交通事故率。根據德國保險產業的統計顯示，每年因撞擊野豬、野鹿與其他野生動物而發生的交通事故，大約就有二十五萬件，而其通常是以這些四腳動物的死亡作收場。[78]

其實這些動物應該是具有學習能力的。是的，「其實」。然而基於兩個原因，還是不斷地有新的犧牲者淪為車下亡魂。第一個原因應該是出自於年輕族群的輕率鹵莽，這點動物和人幾乎沒什麼兩樣。一歲大的野鹿為了尋找自己的領域，通常已經開始四處遷徙，相對於那些在一地定居已久的前輩們經常一整天移動不到一百公尺，只顧著盡情享受鮮嫩多汁的覆盆子葉，這些年輕力壯的小伙子會卯足全力往前趕路，直到牠們發現一小塊空地為止。然而在一個僅僅是計算連絡兩地間的公路，密度就高達每平方公里六百四十六公尺長的地區，野鹿在找到一個安靜且尚未被占據的角落前，必定經常要橫越這種柏油路面公路。

另一個原因則是出於愛。尤其是西方狍的公鹿，只要交配期一到就會像失心瘋似的，滿腦子只想著「性」這回事；牠們的荷爾蒙在七、八月盛夏時節的高溫中作祟，公鹿會一直豎著耳朵，不想錯過任何一聲愛的哨音。這種哨音是由準備好要交配的母鹿為吸引公鹿的注意力而發出，因為獵人也可以將草稈或樹葉夾在兩個拇指之間，接著用嘴吹，以模仿出這個哨音，這段期間也因此被人稱做 Blattzeit（吹樹葉的時節）。我承認，因為想知道它是不是真的有效，我也曾經用這種方法騙過公鹿一次；而它確實有效，不過是一聲輕柔的哨音，一隻大約一兩歲大的年輕公鹿就從灌木叢中一躍而出，四處張望著牠的心上人在何處。也因為這時候公鹿的各種感官完全處在模糊遲鈍的狀態，一旦受到馬路對面一場可能的豔遇引誘，就可能會不顧一切、看都不看地橫越馬路。這也是為什麼到了夏天時即使在白晝，由野鹿所引發的交通事故會多上許多。

這麼說來，我們的城市對野生動物而言是否代表著邪惡之地？當然不是！除了前面提到的限制與危險，城市對野生動物也提供了很大的可能性，尤其是在物種多樣性這方面。相對於城郊外的農田和草地正淹沒在化學肥料中而變得貧瘠荒蕪，森林裡的全功能伐木機也正一棵接一棵地把樹砍掉，最終還順帶壓壞地面，城市裡那一排排房屋之間，反而構成了完整新生的群落生境。也難怪從那些地面被清理得像沙漠一樣光禿的農業地帶裡，有為數可觀的物種大舉逃到

——譯註——

＊　群落生境（Biotop）又稱生物小區，是一個生態系統內可再劃分的空間單位，指具有相對一致環境條件的地區（如相似的氣候、土壤、高度等），為某一特定的植物群體和與其相關的動物群體所占據。一個小的群落生境可以是一個水塘，或是一棵倒下的大樹；它卻也可以是大面積的森林、海洋或淺灘。

了這個庇護所，其中包括好幾千種的植物。科學家以此推論，有大約百分之五十的地區性或全國性植物種類，都可以在北半球的城市裡發現；也就是說，那些人口大規模聚集的區域，幾乎變成了某種生物多樣性熱點。

不過為什麼我要在一本關於動物的書裡，叨念著植物的傳播與分布？是這樣的，草本植物、灌木與樹木構成了動物的食物基礎，代表著食物鏈的起點，也因此是群落生境品質的重要指標。至於，在城市中的動物這方面，其實也有一些令人振奮的發現，舉例來說，僅在華沙一地，就可以找到波蘭全國所有鳥種的百分之六十五。

城市是新生的自然空間，幾乎可以與一座剛形成的火山島相提並論——後者在巨大的騷動中從海底升起，起初既光禿且貧瘠，幾年之後才會開始有植物和動物在這裡落腳定居。這些年輕的群落生境有一個共同點，它們還要經歷很長一段時間的劇烈變化，即使是城市，也必須再花好幾十年或甚至百年的時間，才能夠在生物種類上達到一種穩定平衡的狀態。不管是在柏林、慕尼黑或漢堡等大城市，我們都可以是這個緩慢但持續的變遷的見證人。

首先，因為城市居民在花園及公園裡的「放生」，也就是種下了許多新奇的植物，會有多到不成比例的非本土種植物成為城市裡的新住民；一直要等到數百年之後，本土植物才能夠再度在周遭地區的繁衍分布上贏得勝利。只要關注一下美國及義大利，就可以證明事實的確如此：相對於反映出歐洲移民的聚落開發方向，在美國非本土植物的數量是由東部向西部遞減，羅馬的非本土植物數量，則少到只占全部植物種的百分之十二點四，當然，這座永恆之城畢竟也已經有了超過二千年的開發史。[79]

對於動物，我們也可以觀察到類似的發展過程。城市的生活，對於像狐狸這樣的「興趣廣泛者」來說特別容易，牠們就是有辦法適應不同的生活環境。不過相較於植物，動物似乎會遇到比較多麻煩，因為牠們不只需要較大的空間領域，還會受到貓、其他寵物及馬路上車輛的威脅。再者，如果有某種動物以特別的優勢成功適應了城市的生活，譬如鴿子，牠在我們心目中的形象也會益發不討喜，在有些地方甚至還會淪為被驅趕防治的對象。

在我眼中，一個特別呈現出了正面發展效應的例子，是都市裡的養蜂業。因為與城外的田野相反，城市在整個夏天都有開花植物的充分蜜源，因此蜂群的數量與蜂蜜的產量皆不斷增加；這顯示了都市必定也能夠為蜜蜂蝴蝶提供充足的食物。可以確定的是，對動物而言，這樣的人口密集區域幾乎永遠不會消失，不過我們當然也不能忘記要保護牠們原本的生存空間，只是這點就另章再議了。

為你犧牲奉獻

我們為了適應狗兒，又做了哪些改變呢？

大部分被人類利用的動物，都過著不堪的生活。在那些工業化的大規模畜牧業裡，就有數不清的豬和雞只被視為是原料供應者；大可不必討論這些動物是不是心甘情願地為我們犧牲奉獻，因為答案肯定是「否」。然而人與動物之間，確實存在著美好的搭檔關係，一種讓人僅是旁觀就能心生喜悅的關係。

這樣的好搭檔在我的林區裡就經常可見，那是負責拉木頭的工人與他們的馬兒，他們的任務是運輸砍下的樹幹。以大型的伐木機器來採收大部分的木材，是這個時代奉行的標準，然而這對森林極為有害，因為在它地底下一直到兩公尺深的脆弱土壤，都會被這重量驚人的大型機具壓得密不透風。因此，在我家鄉的社區公有林地裡，伐木這項任務是委託給林工來執行；林工砍下的樹幹接下來必須拖到林道旁，這個步驟在行話裡則稱為「Rücken」（有「挪動、推移」之意）。如今在胡默爾小鎮，一如幾百年前，這個工作是由體型「穩重」的冷血馬種*來完成。這種馬喜歡工作嗎？整天拖著沉重的負擔，直到汗流浹背，不是應該很單調乏味嗎？

讓我們先來看看牠所必須承受的負擔：為了避免過於笨重，林工會把長度可達三十公尺的樹幹，鋸成一段段最多五公尺長的木頭，如此一來它們不僅重量減輕許多，拖行時也比較容易通過樹木之間。接下來上場的，則是那些引領著馬兒拖運木頭的人，而在他們之中，至今我還沒見過有哪一個是不疼愛自己的動物搭檔的。馬兒對這些人來說是工作伙伴，而對於工作伙伴，任何人都不該過分苛求；況且照顧馬也沒有下班時間或週末假日之分，因此對他們來說，這個伙伴更像是需要關懷備至的家庭成員。

於是在森林裡執行任務時，這些馬兒的主人都是小心翼翼地不讓動物發生任何意外。唯一可能會樂意接受更大挑戰的，其實是馬自己，且看這種馬到底有多熱愛工作呢？從牠在必須休息時的反應，我們就可以清楚看到。為了達到足夠的每日運量，馬主人通常會在現場備有另一匹馬來輪替，而那匹休息中的馬，至少在前半段的工作天裡，經常會不耐地用蹄劃地，一副恨不得立刻再度一起上工的模樣。

其實如果真的要拒絕工作，牠們也是可以輕而易舉辦到。因為這些馬多半只靠一條不是套得很緊的牽繩帶領，這條繩既不夠力拉住這隻好幾噸重的龐然大物，要把牠拉往一定的方向也嫌太細。所以事實是這樣的：這條繩子的作用就只是讓兩邊保持連繫，它所傳遞的小訊號就是「向前走」。至於其他的指令與溝通，則是透過一種令人難以理解的奇異語言來解決，它有點像是牙牙學語時期的兒童會話，聽起來就是「唷幼、嘿黑、唄——」；不過，無論是向前、向後或往側邊移動，也不管是該全速前進或該小心謹慎地走，馬兒就是完全聽命於這些指令。

類似的人與動物搭檔，還有牧羊人與他們同樣也聽從口頭指令的狗。當牧羊犬輕快地繞著羊群奔馳，並忙著把一整隊羊再度趕成一堆時，我們也看得出牠們是如何樂在工作。

有關「寵物」這個主題，我們則可以有著兩種完全不同的觀點。一是經由配種，我們把自己的動物朋友「改造」得如此之多，牠們因此完美地符合了我們的需求。從野性變溫馴、從苗條變肥胖、從巨大變迷你，不管我們期望的是什麼，動物都能讓我們滿足。於是，有些最早期的狗種，就如此這般地被改造成像諷刺漫畫裡長得怪里怪氣的角色。

不過，我們當然也可以換個角度來看，也就是從動物本身的立場出發：牠們成功地改變了這麼多，因此得以完美地左右人類的情緒。在此，鬥牛犬粗皮必須再度上場，這隻有著場鼻子

譯註

＊ 冷血馬（Kaltblüter）指的是性格安靜沉穩且較容易操控的馬，因為對外在環境反應較遲鈍，所以被人稱為「冷血」。這類馬種有絕佳的負重力和耐力，經常被人們用來作為工作用馬。

的小公狗，身上帶著一種迷人的天性，讓人就是會情不自禁地想摸摸牠！如此說來，究竟是誰操縱了誰呢？牠衣食無虞，一有病痛就登門訪醫，在寒冷的冬日裡，壁爐邊永遠有著牠溫暖舒適的專屬角落，這個小傢伙的日子，簡直愜意的不得了。假若牠還是和牠的祖先一樣，如野狼般四處奔波流浪，粗皮的日子看起來應該就不會是這樣了。

而為了適應這些與我們共同生活的動物朋友，人類的身體又有了多大程度的改變呢？我們可以用乳糖耐受性的例子來說明。在一般情況下，只有嬰兒能接受母奶，因為這種乳白色液體就是母體專為寶寶提供的。人類消化母乳或說是消化乳糖的能力，會隨著改變以固體性食物為主食的過程逐漸消失。不過，或許更應該說是「曾經消失」，因為隨著家畜的飼養，成年人食用鮮乳及乳酪，這裡通常是取自牛或山羊身上，也變得是可行的了。究其原因，當乳製品成為極具價值的營養來源，那些在基因上發生改變且從此不再有乳糖消化問題的族群，相對地也會擁有較有利的生存機會。可以證明的是這個變異過程大概開始於八千年前，而且至今還在進行中，目前中歐地區約有百分之九十的居民具有這種消化能力，在亞洲則大約是百分之十。

而我們為了適應狗兒，又做了哪些改變呢？為了這種與我們最久可能已經共同生活了四萬年的動物朋友[80]——到底有多久要看問的是那位科學家，可惜尚未有人研究。

我想告訴你的是……

狗兒並不是就只懂得吠叫，牠也能發出一連串不同的聲音來表達自己。

我在前頭曾經提到過：直到最後，我們還是永遠無法得知，動物對恐懼、悲傷、喜悅或快樂等情緒的感受，是不是與我們人類一樣。因為即使是人與人之間，是否會產生相同的感受，我們都無法明確釐清，這或許在我們的「痛覺」上就可以得到確認：就算是受的是一樣的傷，有些人會比其他人敏感。例如當不小心碰觸到了會咬人的蕁麻，有些人會痛得大呼小叫，有的人卻幾乎沒什麼感覺。只不過，經由語言傳述，人類至少可以把自己的感受表達出來，直到他人能充分理解為止，動物則剛好相反。

然而，真的是相反嗎？如我們在動物命名的例子中所見，研究顯示渡鴉嘴裡說著的是一種與我們截然不同的語言；他們對來訪同類的問候聲調高低有別，而這也代表著不同程度的尊敬與重視，還有比這更能充分表達感覺的方式嗎？不過，溝通並非僅能仰賴聲音，即使對我們人類來說，主要的溝通都是非口語性的，也就是透過臉部表情與身體姿勢來傳達訊息。不管我們決定要相信哪一份研究報告，結論是在人與人的溝通中，口語表達的內容最多只占據了百分之七的重要性。[81]

至於動物呢？烏鴉就和人類一樣，也不是單單靠發出聲音來進行溝通。在位於許威森的馬克斯・普朗克研究院鳥類學研究中心裡，皮卡（Simone Pika）等科學家發現智力較高的鳥類運用嘴喙的方式，根本就和人類在運用自己的手一樣。相對於我們會用手指指向某種東西，或是高舉著手臂左右揮動，以使對方把注意力轉向這個物體或我們自己，烏鴉則是用嘴喙把東西抬高，以此指向一個特定方向，或者試圖引起異性注意。此外，搭配著豐富的語音「辭彙」及一些創新編排的動作順序，牠更發展出了一種無比精準細膩的表達能力。[82]這種能力其實也十分必要，因為牠們必須長時間測試自己的溝通對象，畢竟烏鴉終其一生多半只有一個伴侶。然而這些發現，只不過代表了我們向這種黑色大鳥的感覺世界打開了一扇小窗，而牠身上所潛藏的絲絲驚奇，絕對還綽綽有餘。

我們在林務工作站的家裡，也曾經有過一位這樣擅長表達的小傢伙。那是朋友送給孩子們的一對虎皮鸚鵡，其中的公鳥安東，就很清楚該怎麼引人注意。每當牠肚子餓了，牠就會把裝飼料的小盆子高高地啣起，然後再鬆口讓它掉下來；籠子裡其實還有許多其他玩具，因此牠這個帶有目的性的動作想要傳達的訊息是再清楚不過了，它在說著：「請加飼料！」

不過，從肢體動作重新回到語言，狗兒並不是就只懂得吠叫，牠也能發出一連串不同的聲音來表達自己。其實，牠或許已經「說出」很不一樣的聲音了，可惜對此我們還是只能粗略了解，就像我家的馬克西，我們至少是大概猜中了牠所想表達的意思，沒錯，經過幾年的時間，我們的確可以聽得出牠是餓了、無聊了，或只是水盆空了。

連我們的馬兒，顯然都有辦法勝任相當細膩的表達方式，瑞士的一個研究成果特別令我驚訝不已。動物經常透過肢體語言與彼此溝通，這已經是老生常談，許多養馬人也都早就知道；與烏鴉相反的是，學界對於這類騎乘動物的非口語溝通方式，正巧就是研究得比其他生物多。

雖然這個發現很令他們意外，蘇黎世聯邦理工學院（ETH Zürich）的科學家還是證實了，在馬聽來似乎十分單調的嘶鳴聲中，隱藏著超乎我們想像的訊息數量。他們發現，馬的嘶鳴帶著兩種頻率的聲音，而這可以用來傳達複雜的訊息；在這兩種基本頻率中，第一種是在表明牠的情緒好壞，第二種則是在表達情緒的強弱。[83]在聯邦理工學院校方的網頁上提供了馬的叫聲範例，從中可以播放這兩種訊息；[84]而我在試聽後便立刻確定了，毫無疑問，我家的馬兒每次見到我們時的嘶鳴聲，代表著心情愉快！好吧，我們大多會帶著飼料一起來，然而對此我一點都不在意。沒錯，我在意的是現在終於可以肯定地說出「我的馬在我走向牠時興高采烈地歡呼了」，這是在此之前我一直只能臆測的感受。這個研究成果讓我在此之後聆聽得更加仔細，為的是想知道牠們的情緒是否會隨時間起伏，牠們的喜悅會不會有時候多、有時候少。現在我知道答案了，是的，牠們當然也有這樣的情緒波動，完全和我們人類一樣。

在這個研究之外，我也發現了馬還會發出一種「溫柔的嘶鳴聲」。每當我家的老馬嬉皮親暱地磨蹭著我們，要我們撫摸時，雖然嘴巴闔著，牠還是會發出一種輕柔但高頻的聲音，讓我們知道牠覺得舒適陶醉，而且喜歡待在我們身邊，就這樣，牠等於用「口語」告知了自己的情緒。

在我看來，馬兒因此是個絕佳案例，說明了我們對動物溝通方式的理解有多貧乏。特別是牠們已經被人類馴養了好幾千年，因此對於牠們的研究與了解，理論上應該要明顯地比野生動物透徹得多。然而，這些如此驚呼連連的發現，都還不過是最近的事，這不禁提醒了我，日後在評估其他物種的能力時，要更加謹慎小心。

假若我們不只能解碼動物彼此之間的語言，而是也能直接與牠們對話，那人與動物間的溝通應該就會進入另一種等級，從此我們便能直接詢問牠們不同的情緒與感受，也可以省下曠日廢時的科學研究過程。而這樣的案例確實是有的，的確有一隻名叫可可的大猩猩女士，能夠「傳述」出一些動人的事。你沒聽錯，真的是傳述，或者更確切地說，「用手語來傳述」。美國加州史丹佛大學的帕特森（Penny Patterson），在她的博士論文研究計畫中，訓練了一隻當時還很年幼的大猩猩可可；隨著時光流逝，可可逐漸學會了一千多個手勢，也能夠聽懂兩千多個英文單字，牠得以向研究者吐露心聲，因此與一隻動物進行長時間的交談，也首次在歷史上變成了可能。

在一些其他大猩猩也接受了訓練，並得到類似的結果後，顯示可可的例子絕非個別現象。[85]只不過牠在媒體上出現的特別頻繁，一些觸動人心的影像記錄片段，也再三地被引用。例如曾經有人送了牠一隻斑馬絨毛玩具，當被問到這是什麼時，牠用手語回答了「白色」與「老虎」。至於對「大猩猩為什麼會死」的這個問題，牠立即比出了「有狀況、老」的手勢。[86]可可的回答經常是如此聰明機靈，而且懂得舉一反三，能夠在新辭彙上結合熟悉的用語，說牠是一隻具有語言天分的猿猴確實也不為過。

然而，對於這個專為大猩猩成立，且最大的研究計畫是可可的世界性組織「大猩猩基金會」（Gorilla Foundation），其實也出現了很直接的批評聲浪。批評者首先認為外界的專家學者並沒有辦法檢驗他們的研究結果，且這項研究計畫連出版品都少得可憐；除此之外，研究者與可可之間的溝通交流，也不是以科學的方法來進行，譬如說這位大猩猩女士其實經常說的是恰好相反的答案，研究人員卻將其詮釋為大猩猩故意的搞笑小把戲。[87]

可惜我也無法告訴你在那些公開的出版品中，哪些是真實的、而哪些不是；至少直覺告訴我，在大多數的情況下，這些動物朋友的能力都只會遭到嚴重低估。所以，可可到底是不是真的會「說話」？在牠所給的答案裡，是否只有一部分具有意義？這些其實都不是什麼大問題。因為人類與動物之間的溝通交流，無論在何種情況下，都會被很片面狹隘地視為是「人類想要讓另一種動物學會他的語言」。如果有種動物可以聽懂許多辭彙與指令，或許還能說出合宜適切的對話，就會被認為是特別聰明；而不管是虎皮鸚鵡、烏鴉或是像可可這樣的大猩猩，當牠們甚至是以我們的語言來回答問題時，更是特別招人喜愛。

然而，倘若假定我們人類確實是這個星球上智力最高的物種，為什麼學術界不早早走向一條完全相反的研究路線？為什麼要花費好幾年的心思與工夫去教導動物手語，而這些動物，根據目前的研究了解，在學習能力上比我們低？如果人類自己也開始學習動物的語言，一切不是都會容易得多嗎？不過跟幾年前相比，我們今天在這方面，就已經多出了許多可能性，過去因為發不出像馬那樣帶有兩種聲調的嘶鳴，所以根本不可能模仿出約略像馬叫的聲音。然而，今天的電腦就有可能把我們的意圖適切地翻譯成個別動物的語言。可惜據我所知，目前尚未有人對此做過認真嚴謹的研究。

這個世上絕對有人能夠模仿出動物的聲音，例如各種不同的鳥叫聲。不過那些會模仿烏鶇或山雀的人，大概也只能模仿到牠們語言裡代表「這裡有人！」的哨音，因為這些公鳥從樹冠層上傳來的美妙鳴唱，常常除了宣示主權之外根本別無他意。也就是說，我們耳中聽起來可愛動人的鳥語，在牠們同類之間的作用，卻應該是要嚇阻競爭對手。因此這裡人類所模仿的鳥語，可能多少就像一隻鸚鵡學會了「滾開！」這句人話一樣，可惜我們對於這些動物朋友的了解，進展還是這麼有限。

靈魂所在

當我們觀察著自由自在的動物，就能看見那些松鼠、小鹿或野豬閃耀的靈魂。

終於，我們來到了最為關鍵之處：動物也擁有在意義上如同我們身上無形器官的靈魂嗎？為了方便起見，這個最為棘手的問題，我樂於先從人類自己身上來探究。

靈魂，到底是什麼？饒有興味的是，「靈魂」在《杜登德語辭典》裡有多重的定義，這顯示了對於靈魂，人們根本沒有一致的看法。在這些定義中，一類是以感覺、感悟力，以及思考能力為整體來說明靈魂，認為其是構成人類生命的要素。另一類則認為靈魂概括了人身上的非物質部分，在宗教思想裡，這即使是人死後仍會繼續存在。[88]因為後者的論點無法驗證，接下來我想把焦點放在第一類定義上。

我們應該同樣可以就動物的感覺、感悟力及思考能力，來確認這個構成牠們生命的「整體」，不是嗎？如我們所知，其他動物也擁有感覺與感悟力，這點幾乎是無庸置疑，因此最後需要釐清的，就是動物能否思考。根據《杜登德語辭典》的定義（雖然這只適用於人類），「思考」是靈魂的基本先決條件；好吧，我們就來找找動物是否具備這樣的能力，雖然這可不是件容易的事。

因為即使「思考」的相關闡述與說明，同樣為數可觀且極其複雜，我們卻還是無法全面地描繪出它的真實面貌。在眾說紛紜之下，德勒斯登工業大學對學生們提出了解釋：「思考是一種心智過程，在這過程中，不論是物體、事件或情節，都會透過生成、轉換及組合，以象徵的或具體的方式重新再現。」用一種更易於了解且脈絡相同的說明來下個比較簡要的結論，我們也可以說「思考就是在解決問題……」。[89]因此，至少那些行動意圖在我們眼中昭然若揭的動物，必然也具有思考的能力，例如會呼叫同伴名字的烏鴉，會回想自己的行動並感到後悔的老鼠，會向母雞說謊的公雞，還有膽敢不忠出軌的喜鵲……有誰能否認，這些動物在牠們的腦袋瓜中，運行著「解決問題」的過程？

我還是想回頭檢視一下靈魂的第二類解釋，也就是宗教思想上的定義，即使我誠惶誠恐，連自己都覺得不怎麼安全，即使信仰與邏輯經常是互斥的，我依舊想從宗教的觀點，為動物的靈魂辯護。

如果不相信肉體能夠復活，那麼「靈魂」便是人死後會進入另一個世界的先決條件。而如果在這種認知中，人類是有靈魂的，那動物同樣擁有靈魂的看法，也就毋庸置疑。何以如此？因為這裡出現了一個問題：人類是從什麼時候開始上天堂的。二千年前嗎？還是四千年前？又或者是從有人類伊始？那就應該大約是二十萬年前。不過到底是在哪個時間點，我們與之前的生命型態，也就是我們的遠古祖先分道揚鑣了？這個過程並非一蹴可幾，而是緩慢漸進的發展過程，即使是細微的改變，都需要歷經一代又一代的演化才能浮現。然而，到底是從這段進程的哪一個個體開始，就不能稱作是具有靈魂的「人類」了呢？是某個生活在二十萬零二十三年前的女性嗎？還是一個帶著燧石、生活在二十萬零一百九十七年前的男人？

事實並非如此，這樣明確的界線並不存在。於是，以此類推我們可以往前回溯，回到我們的原始人祖先，回到靈長類，回到最早的哺乳類、恐龍、魚類、植物，甚至細菌。假如「智人」這種物種開始出現的確切時間點X並不存在，那麼「靈魂」登場的時間點，也就不可能確切。又假如在宗教上存在著一種更高的公平正義，那麼在前述的那個死後的永恆生命中，應該也幾乎無法在兩個世代之間劃出明確的界線，以此做為標準來排除「不具有靈魂」的舊世代，並讓「具有靈魂」的新世代加入。這樣的想像豈非很美好嗎？如果在天堂裡的無數人類之中，也生活著各式各樣熙攘喧鬧的動物？

不過，如果完全排除上述觀點，我個人其實並不相信存在著死後的世界。我羨慕每個能夠如此相信的人，無奈我的想像力實在太過有限。因此，從科學上來詮釋何謂靈魂的第一類定義，其實已經足以讓我樂於認定所有的動物都擁有靈魂。其他物種並非如同某些人所想像的那樣只是機器，並非一切都依先天的法則機制運作，特定的行動則是由觸控按鈕或釋出荷爾蒙來操縱，這些想法再美好不過了。當我們觀察著自由自在的動物，就能看見那些松鼠、小鹿或野豬閃耀的靈魂——是的，就是這一點，讓我覺得一切變得無比圓滿，且內心溫暖無限。

後記：退回一步

我喜歡在動物身上尋找與人類的相似點，因為我無法想像牠們的感受居然會與人類有所不同。而我極有可能站得住腳，因為關於演化的過程突然中斷，並且一切必須重新再來的論點，如今算是遭到了反駁；動物與我們之間唯一的重大差異在於思考能力，這方面至少是我們最在行的。

不過某些對人類深具意義的事，說不定對我們的動物朋友來說，並沒有那麼重要，否則牠們演化的路線，就應該會與我們十分近似。像人類這樣的密集式思考，真的有必要嗎？可以確定的是，起碼充實、放鬆的生活並不需要這樣的思考。在輕鬆快意的假期中，我們腦袋經常會浮現的念頭就是「這感覺真棒，而且可以什麼事都不用想！」人不需要大費周章的沉思冥想，也可以感受到快樂與喜悅，而這正好切中要點：智力對於情緒完全是多餘的。

如我曾經多次強調，感覺操控著本能反應的程序，所以感覺對所有生物來說，都是生存之不可或缺，因此動物必定擁有著強度不一的各種感覺。至於某種動物是否能夠思索自己的感覺，是否能夠透過反思來延長，或是事後在某個時間點再度喚醒這種感覺，暫且還是其次；我們人類正好擁有這種能力，因此或許可以更強烈地意識到某時某刻，而這當然十分美好，然而，人生中有些不怎麼美好的片刻，同樣會以這種方式留存在我們的記憶中。這麼說來，我們跟動物應該是不分優劣，一比一平手。

不過，為什麼每當議題牽涉到動物感受快樂和痛苦的能力，就總還是要面對從一些學者專家，特別是那些農業部門的政治人物所發出的阻力？他們所要維護的，首先多半是那些奉行廉價飼養與處理方式的工業化畜產業，就像前頭提過的，會不經過麻醉，就隨意閹割小豬；再者又或許是狩獵活動，每年都有好幾十萬隻的大型哺乳類動物與各種鳥類喪命於獵槍下，而這活動根本徹底的落伍，再也不合時宜。

即使眾人的意見已經充分交流，而且動物的能力遠高於一般認定的事實，也早已無所爭議，在最後一刻，異議人士最常使出的撒手鐧便是「擬人化」。他們常見的指責是：任何把動物拿來與人類相比較的行為，都是不科學的妄想，而且甚至有可能是受到某種神祕教派的洗禮。在熱中於論戰的同時，我們卻經常忽略了一個學校已經教過，並且眾所皆知的事實：純粹從生物學的角度來看，人類同樣也是動物，相較於其他物種，我們並不特別突出。

因此這樣的比較一點兒也不算扯得太遠，值得注意的是，人只能夠設身處地領會那些自己可以理解與體會的事。所以這完全合乎常理，如果我們先從某些動物身上就近觀察起，特別是那些情緒與心智過程與人類相似，並且可供驗證的物種。只不過相較之下，要設身處地領會他人的飢餓、口渴等這類感覺並不困難，但若說到要領會他人的快樂、悲傷或同理心，卻會讓有些人的雞皮疙瘩掉滿地。在此，我們該做的完全不是將動物擬人化，而是要好好地了解牠們，因為這種比較尤其能讓人理解到動物絕非愚蠢的生物。難道牠們不僅在演化上遠比人類低等，即使有著痛苦或其他類似的情緒，也只是一些遲鈍的，或者是從人類豐富的七情六欲中複製出來的變型嗎？不，當然不是這樣，野鹿、野豬或烏鴉的日子不但過得自由完美，同時還充滿樂趣，所有能夠理解這一點的人，或許還會想對象鼻蟲這個小傢伙致上敬意——即便牠渺小而不起眼，卻在古老森林的落葉堆裡享受著自己忙碌且快樂的生活。

不過，動物的情緒世界之所以總是備受質疑，或許部分原因也在於即使是人類自己，至今都還無法明確地定義許多情緒與心智過程。面對這個問題，我只想再提一次像「幸福快樂」、「感激之情」，或者像是「思考」，那些至今還是難以釋義的辭彙，如果我們自己都尚且無法正確掌握，又該如何在動物身上領會呢？當今這種奉行追求客觀信條的純科學，在此或許也是愛莫能助，因為它要求的是排除自己的主觀情緒。然而因為人類絕大部分的行為都是情緒的反應（請見〈本能——低等的感受？〉一章），所以我們天生就具備了某些天線，可以偵測到他人相應的情緒活動。難道現在只因為我們面對的是動物而不是人類，所以這些天線就應該要自動失效嗎？

人類在一個充滿著其他物種的世界中逐漸演化發展，而且與這些生命有著休戚與共的關係。了解野狼、灰熊或是馬兒的意圖，肯定與讀懂陌生人臉上的表情同樣重要；當然，有時我們會被自己的感覺蒙騙，可能會過度詮釋了狗兒貓咪的某些行為，然而在多數的情況下，我們的直覺其實都是正確的，我對這點深信不疑。而且在喜愛動物之人的眼中，在這方面有最新的科學發現也是意料中之事，它們只不過提高了確定性，讓人更加信任自己對動物的觀察與感覺。

而在拒絕承認動物也擁有各式情緒的觀點裡，我稍微察覺到了一絲害怕人類會失去自己特殊地位的恐懼；更糟糕的是，這些人認為如此一來我們對動物的利用難度可能會大幅提升，而每吃一頓飯，或是每穿一次皮衣，都可能會因為道德感作祟而破壞興致。當我們想到那些感覺靈敏的豬仔，想到牠們會訓練、教導自己的孩子，甚至還會幫助牠們生育下一代，會知道別人叫喚自己的名字，而且還通過了鏡子測試……於是歐盟境內一年要屠宰兩億五千萬隻豬的數字，還真有點讓人不寒而慄。[90]

而且這種現象可不僅限於動物，如今科學已經知曉，我們或許都曾讀過相關報導，連樹木及其他植物都經證實具有感覺和記憶能力。所以容我一問，如果現在連綠色植物都有權得到同情與憐憫，那我們究竟還要如何在不觸犯道德良知地吃一頓飯？別擔心，我並不是在呼籲，大家都要以沉重的心情吃早餐，或者帶著厭惡感用晚餐——如同許多其他物種，人類在生物世界中的位置，絕對有權使用與食用其他生物，畢竟我們無法進行光合作用。

我所盼望的，不過是在對待這些生氣蓬勃且與我們共享這個世界的生命時，能夠多上一絲尊重，不管是對動物或植物。這並不代表必須放棄某種利用方式，但可能會在某種程度上，限制我們生活的舒適度與消耗的生物產品數量。然而，如果這一切可以換來更加幸福快樂的馬兒、山羊、小雞與豬仔，如果我們因此可以觀察到日子過得心滿意足的野鹿、鼬鼠或烏鴉，如果將來有一天，我們甚至可以在無意中聽到烏鴉呼喊著彼此的名字，我們的中樞神經系統，一定會傾瀉出一種被稱為「荷爾蒙」的物質，傳送出一種完全無法抗拒的感覺，它就叫做「快樂」。

謝辭

我心中有千萬個感謝要獻給我的妻子米利暗（Miriam），這次她又再度不厭其煩地協助我完成手稿，並且抱著批判的態度，細細檢閱我那些化成文字的思考。我的孩子卡瑞娜（Carina）與托比亞斯（Tobias）則讓我的記憶重新活躍了起來，每當我又對著空白的電腦螢幕陷入冥想，卻無奈腸思枯竭、什麼軼聞趣事都想不起來時，從他們那裡我總可以得到豐富的靈感——感謝親愛的你們！

我還要深深感謝路德維希出版社（Ludwig Verlag）的團隊發展出成書概念，也就是描繪出一幅有關動物且主題連貫一致的圖畫（噢是的，我腦袋中亂哄哄地塞滿了許多念頭，以此取材說不定有人可以寫成三本書）。

感謝 Angelika Lieke 的修飾潤色，讓文章中那些反反覆覆、不合邏輯的句子，以及彆腳的贅辭都得以排除，讓整本書具備更高的可讀性。始終銘記在我心的還有經紀人 Lars Schultze-

Kossack，他搭建了我與出版社之間的橋樑，在我猶疑這一切究竟能否產生什麼結果的時候，他總是持續地鼓勵我（在寫上一本書《樹的祕密生命》時便是如此，我心中同樣充滿了不確定感）。

最後，我最最需要感謝的是馬克西、史溫力、維托、嬉皮、布里姬，以及所有其他不管是有著四隻腳或一對翅膀的小幫手，這些動物朋友允許我分享牠們多姿多采的生活，向我娓娓道來許多自己的故事；而這些故事，親愛的讀者，我何其有幸能為你們翻譯。

註釋

[1] Simon, N.: Freier Wille – eine Illusion?, in: stern.de, 14.04.2008, http://www.stern.de/wissenschaft/mensch/617174.html, abgerufen am 29.10.2015

[2] https://www.mcgill.ca/newsroom/channels/news/squirrels-show-softer-side-adopting-orphans-163790, abgerufen am 29.10.2015

[3] http://www.welt.de/vermischtes/kurioses/article13869594/Bulldogge-adoptiert-sechs-Wildschwein-Frischlinge.html, abgerufen am 30.10.2015

[4] http://www.spiegel.de/panorama/ungewoehnliche-mutterschaft-huendin-saeugt-14-ferkel-a-784291.html, abgerufen am 01.11.2015

[5] DeMelia, A.: The tale of Cassie and Moses, in: The Sun Chronicle, 05.09.2011, http://www.thesunchronicle.com/news/the-tale-of-cassie-and-moses/article_e9d792d1-c55a-51cf-9739-9593d39a8ba2.html, abgerufen am 05.09.2011

[6] Joel, A.: Mit diesem Delfin stimmt etwas nicht, in: Die Welt, 26.12.2011, http://www.welt.de/wissenschaft/umwelt/article13782386/Mit-diesem-Delfin-stimmt-etwas-nicht.html, abgerufen am 30.11.2015

[7] http://user.medunigraz.at/helmut.hinghofer-szalkay/XVI.6.htm, abgerufen am 19.10.2015

[8] Stockinger, G.: Neuronengeflüster im Endhirn, in: der Spiegel 10/2011, 05.03.2011, Seiten 112–114

[9] Feinstein, J.S. et al.: The Human Amygdala and the Induction and Experience of Fear, in: Current Biology Nr. 21, 11.01.2011, S. 34–38

[10] Portavella, M. et al.: Avoidance Response in Goldfish: Emotional and Temporal Involvement of Medial and Lateral Telencephalic Pallium, in: The Journal of Neuroscience, 03.03.2004, S. 2335–2342

[11] Breuer, H.: Die Welt aus der Sicht einer Fliege, in: Süddeutsche Zeitung, 19.05.2010, http://www.sueddeutsche.de/panorama/forschung-die-welt-aus-sicht-einer-fliege-1.908384, abgerufen am 20.10.2015

[12] http://www.spiegel.de/wissenschaft/natur/angelprofessor-robert-arlinghaus-ueber-den-schmerz-der-fische-a-920546.html, abgerufen am 11.11.2015

[13] Evers, M.: Leiser Tod im Topf, in: Der Spiegel 52/2015, Seite 120

[14] Stelling, T.: Do lobsters and other invertebrates feel pain? New research has some answers, in: The Washington Post, 10.03.2014, https://www.washingtonpost.com/national/health-science/do-lobsters-and-other-invertebrates-feel-pain-new-research-has-some-answers/2014/03/07/f026ea9e-9e59-11e3-b8d8-94577ff66b28_story.html, abgerufen am 19.12.2015

[15] Dugas-Ford, J. et al.: Cell-type homologies and the origins of the neocortex, in: PNAS, 16. Oktober 2012, vol. 109 no. 42, S. 16974–16979

[16] C.R. Reid et al.: Slime mold uses an externalized spatial »memory« to navigate in complex environments. Proceedings of the National Academy of Sciences. doi: 10.1073/pnas.1215037109

[17] http://www.daserste.de/information/wissen-kultur/wissen-vor-acht-zukunft/sendung-zukunft/2011/schleimpilze-sind-schlauer-als-ingenieure-100.html, abgerufen am 13.10.2015

[18] http://de.statista.com/statistik/daten/studie/157728/umfrage/jahresstrecken-von-schwarzwild-in-deutschland-seit-1997-98/, abgerufen am 28.11.2015

[19] Boddereas, E.: Schweine sprechen ihre eigene Sprache. Und bellen., in: www.welt.de vom 15.01.2012, http://www.welt.de/wissenschaft/article13813590/Schweine-sprechen-ihre-eigene-Sprache-Und-bellen.html, abgerufen am 29.11.2015

[20] http://www.welt.de/print/wams/lifestyle/article13053656/Die-grossen-Schwindler.html, abgerufen am 19.10.2015

[21] http://www.ijon.de/elster/verhalt.html, abgerufen am 03.12.2015

[22] http://www.nationalgeographic.de/aktuelles/ist-der-fuchs-wirklich-so-schlau-wie-sein-ruf, abgerufen am 21.01.2016

[23] Shaw, RC, Clayton, NS. 2013 Careful cachers and prying pilferers: Eurasian jays (Garrulus glandarius) limit auditory information available to competitors. Proc R Soc B 280: 20122238.

http://dx.doi.org/10.1098/rspb.2012.2238, abgerufen am 01.01.2016

24 Gentner, A.: Die Typen aus dem Tierreich, in: GEO 02/2016, S. 46–57, Hamburg

25 Turbill, C. et al.: Regulation of heart rate and rumen temperature in red deer: effects of season and food intake. J Exp Biol. 2011; 214(Pt 6): 963–970

26 Persönlichkeitsunterschiede: Für Rothirsche wird soziale Dominanz in mageren Zeiten ganz schön teuer, in: Presseinformation der veterinärmedizinischen Universität Wien vom 18.09.2013

27 Wenn Bienen den Heimweg nicht finden – Pressemitteilung Nr. 092/2014 vom 20.03.2014, Freie Universität Berlin

28 Klein, S.: Die Biene weiß, wer sie ist, in: Zeit Magazin Nr. 2/2015, 25.02.2015, http://www.zeit.de/zeit-magazin/2015/02/bienenforschung-randolf-menzel, abgerufen am 09.01.2016

29 Klein, S.: Die Biene weiß, wer sie ist, in: Zeit Magazin Nr. 2/2015, 25.02.2015, http://www.zeit.de/zeit-magazin/2015/02/bienenforschung-randolf-menzel, abgerufen am 09.01.2016

30 http://www.tagesspiegel.de/berlin/fraktur-berlin-bilder-aus-der-kaiserzeit-vom-pferd-erzaehlt/10694408.html, abgerufen am 02.09.2015

31 Lebert, A. und Wüstenhagen, C.: In Gedanken bei den Vögeln, in: Zeit Wissen Nr. 4/2015, http://www.zeit.de/zeit-wissen/2015/04/hirnforschung-tauben-onur-guentuerkuen, abgerufen am 04.12.2015

32 http://www.spiegel.de/video/rodelvogel-kraehe-auf-schlittenfahrt-video-1172025.html, abgerufen am 16.11.2015

33 Jeschke, Anne: Zu welchen Gefühlen Tiere wirklich fähig sind, http://www.welt.de/wissenschaft/umwelt/article137478255/Zu-welchen-Gefuehlen-Tiere-wirklich-faehig-sind.html, abgerufen am 10.08.2015

34 Cerutti, H.: Clevere Jagdgefährten, in: NZZ Folio, Juli 2008, http://folio.nzz.ch/2003/juli/clevere-jagdgefahrten, abgerufen am 19.10.2015

35 http://www.daserste.de/information/wissen-kultur/w-wie-wissen/sendung/raben-100.html, abgerufen am 19.10.2015

36 http://www.swr.de/odysso/-/id=1046894/nid=1046894/did=8770472/18hal4o/index.html, abgerufen am 21.10.2015

37 Plüss, M.: Die Affen der Lüfte, in: Die Zeit, Nr. 26, 21.06.2007

38 Broom, D.M. et al: Pigs learn what a mirror image represents and use it to obtain information, in: Animal Behaviour Volume 78, Issue 5, November 2009, Seite 1037–1041

39 https://www.mcgill.ca/newsroom/channels/news/squirrels-show-sof-ter-side-adopting-orphans-163790, abgerufen am 29.10.2015

40 Kneppler, Mathias: Auswirkungen des Forst- und Alpwegebaus im Gebirge auf das dort lebende Schalenwild und seine Bejagbarkeit, Abschlussarbeit des Universitätslehrgangs Jagdwirt/-in an der Universität für Bodenkultur Wien Lehrgang VI 2013/2014, Seite 7

41 Hermann, S.: Peinlich, in: Süddeutsche Zeitung, 30.05.2008, http://www.sueddeutsche.de/wissen/schamgefuehle-peinlich-1.830530, abgerufen am 03.01.2016

42 Steiner, A. und Redish, D.: Behavioral and neurophysiological correlates of regret in rat decision-making on a neuroeconomic task, in: Nature Neuroscience 17, 995–1002 (2014), 08.06.2014

43 Glauben Sie niemals Ihrem Hund, in: taz, 27.02.2014, http://www.taz.de/!5047509/, abgerufen am 13.01.2016

44 Range, Friederike et al.: The absence of reward induces inequity aversion in dogs, communicated by Frans B.M. de Waal, Emory University, Atlanta, GA, October 30, 2008 (received for review July 21, 2008), pnas.0810957105, vol. 106 no. 1, 40–345, doi: 10.1073

45 Massen, J.J.M., et al.: Tolerance and reward equity predict cooperation in ravens (Corvus corax), in: Scientific Reports 5, Article number: 15021 (2015), doi:10.1038/srep15021

46 Ganguli, I.: Mice show evidence of empathy, in: The Scientist, 30.06.2006, http://www.the-scientist.com/?articles.view/articleNo/24101/title/Mice-show-evidence-of-empathy/, abgerufen am 18.10.2006

47 Loren J. Martin et al.: Reducing Social Stress Elicits Emotional Contagion of Pain in Mouse and Human Strangers, in: Current Biology, DOI: 10.1016/j.cub.2014.11.028

48 Kollmann, B.: Gemeinsam glücklich, in: Berliner Morgenpost vom 02.02.2015, http://www.morgenpost.de/printarchiv/wissen/article137015689/Gemeinsam-gluecklich.html, abgerufen am 30.11.2015

49 Kaufmann, S.: Spiegelneuronen, in: Alles Nerven-Sache – wie Reize unser Leben steuern, Sendung »Planet Wissen« vom 07.11.2014, ARD

50 http://www.wissenschaft-aktuell.de/artikel/Auch_Bakterien_verhalten_sich_selbstlos___zum_Wohl_der_Gemeinschaft 1771015587059.html, abgerufen am 25.10.2015

51 Carter GG, Wilkinson GS: 2013 Food sharing in vampire bats: reciprocal help predicts donations more than relatedness or harassment. Proc R Soc B 280: 20122573. http://dx.doi.org/10.1098/rspb.2012.2573, abgerufen am 26.10.2015

52 http://www.zeit.de/wissen/umwelt/2014-06/tierhaltung-wolf-hybrid-hund, abgerufen am 16.08.2015

53 Lehnen-Beyel, I.: Warum sich ein Wolf niemals zähmen lässt, in: Die Welt, 20.01.2013, http://www.welt.de/wissenschaft/article112871139/Warum-sich-ein-Wolf-niemals-zaehmen-laesst.html, abgerufen am 07.12.2015

54 http://www.schwarzwaelder-bote.de/inhalt.schramberg-rehbock-greift-zwei-frauen-an.9b8b147b-5ba7-4291-bbd7-c21573c6a62c.html, abgerufen am 16.08.2015

55 http://www.kaninchen-info.de/verhalten/kot_fressen.html, abgerufen am 20.12.2015

56 Warum Katzen keine Naschkatzen sind, in: Scinexx.de, http://www.scinexx.de/dossier-detail-607-9.html, abgerufen am 14.01.2016

57 Gebhardt, U.: Der mit den Füßen schmeckt, in: Zeit online vom 01.05.2012, http://www.zeit.de/wissen/umwelt/2012-04/tier-schmetterling, abgerufen am 14.01.2016

58 Derka, H.: Weil das Stinken so gut riecht, in: kurier.at, http://kurier.at/thema/tiercoach/weil-das-stinken-so-gut-riecht/62.409.723, abgerufen am 06.10.2015

59 http://www.canosan.de/wurmbefall.aspx, abgerufen am 21.09.2015

60 http://www.spiegel.de/panorama/suedafrika-loewen-zerfleischen-ihre-beute-zwischen-autofahrern-a-1043642.html, abgerufen am 04.09.2015

61 Dr. Petrak, Michael: Rotwild als erlebbares Wildtier – Folgerungen aus dem Pilotprojekt Monschau-Elsenborn für den Nationalpark Eifel, in: Von der Jagd zur Wildbestandsregulierung, NUA-Heft Nr. 15, Seite 19, Natur- und Umweltschutz-Akademie des Landes Nordrhein-Westfalen (NUA), Mai 2004

62 http://www.welt.de/welt_print/wissen/article5842358/Wenn-der-Schreck-ins-Erbgut-faehrt.html, abgerufen am 09.12.2015

63 Spengler, D.: Gene lernen aus Stress, in: Forschungsbericht 2010 –

Max-Planck-Institut für Psychiatrie, München, https://www.mpg.de/431776/forschungsSchwerpunkt, abgerufen am 09.12.2015
64 Stockholm-Syndrom: Wenn das Gute zum Bösen wird, in: Der Spiegel, 24.08.2006
65 Lattwein, R: Bienen – Artenvielfalt und Wirtschaftsleistung, S. 8, herausgegeben u.a. vom ökologischen Schulland Spohns Haus Gersheim und dem Ministerium für Umwelt des Saarlandes, Saarbrücken 2008
66 http://www.sueddeutsche.de/panorama/braunbaerinnen-sex-mit-vielen-maennchen-1.857685, abgerufen am 10.10.2015
67 Rats dream about their tasks during slow wave sleep, in: MIT news, 18.05.2001, http://news.mit.edu/2002/dreams, abgerufen am 17.01.2016
68 Jouvet, M.: The states of sleep, in: Scientific American, 216 (2), S. 62–68, 1967, https://sommeil.univ-lyon1.fr/articles/jouvet/scientific_american/contents.php, abgerufen am 17.01.2016
69 Breuer, H.: Die Welt aus der Sicht einer Fliege, in: Süddeutsche Zeitung, 19.05.2010, http://www.sueddeutsche.de/panorama/forschung-die-welt-aus-sicht-einer-fliege-1.908384, abgerufen am 20.10.2015
70 Maier, Elke: Frühwarnsystem auf vier Beinen, in: Max-Planck-Forschung 1/2014, S. 58–63
71 Berberich, G. und Schreiber, U.: GeoBioScience: Red Wood Ants as Bioindicators for Active Tectonic Fault Systems in the West Eifel (Germany), in: Animals, 3/2013, S. 475–498
72 http://www.gutenberg-gesundheitsstudie.de/ghs/uebersicht.html, abgerufen am 04.10.2015
73 Henning, Gustav Adolf: Falter tragen wieder hell, in: Die Zeit, Br. 44, 30.10.1970
74 Lebert, A. und Wüstenhagen, C.: In Gedanken bei den Vögeln, in: Zeit Wissen Nr. 4/2015, http://www.zeit.de/zeit-wissen/2015/04/hirnforschung-tauben-onur-guentuerkuen, abgerufen am 22.02.2016
75 Holz, G.: Sinne des Hundes, Hundeschule wolf-inside, 2011, http://www.wolf-inside.de/pdf/Visueller-Sinn.pdf, abgerufen am 10.10.2015
76 Reggentin, Lisa: Das Wunder der Bärtierchen, in: National Geographic Deutschland, http://www.nationalgeographic.de/aktuelles/das-wunder-der-baertierchen, abgerufen am 29.09.2015
77 Das Anthropozän – Erdgeschichte im Wandel, in: http://www.

dw.com/de/das-anthropozän-erdgeschichte-im-wandel/a-16596966, abgerufen am 26.11.2015

78 http://www.gdv.de/2014/10/zahl-der-wildunfaelle-sinkt-leicht/, abgerufen am 10.12.2015

79 Werner, P. u. Zahner, R.: Biologische Vielfalt und Städte: Eine Übersicht und Bibliographie, in: BfN-Scripten 245, Bonn-Bad Godesberg 2009

80 Hucklenbroich, C.: Ziemlich alte Freunde, in: FAZ Wissen, 28.05.2016, http://www.faz.net/aktuell/wissen/natur/mensch-und-haushund-ziemlich-alte-freunde-13611336.html, abgerufen am 19.01.2016

81 http://tu-dresden.de/die_tu_dresden/fakultaeten/fakultaet_wirtschaftswissenschaften/bwl/marketing/lehre/lehre_pdfs/Mueller_IM_G1_Kommunikation.pdf, abgerufen am 16.11.2015

82 Pika, S.: Schau Dir das an: Raben verwenden hinweisende Gesten, in: Forschungsbericht 2012 – Max-Planck-Institut für Ornithologie, https://www.mpg.de/4705021/Raben_Gesten?c=5732343&force_lang=de, abgerufen am 16.11.2015

83 Briefer, E.F. et al.: Segregation of information about emotional arousal and valence in horse whinnies, in: Scientific Reports 4, Article number: 9989 (2015), http://www.nature.com/articles/srep09989, abgerufen am 14.11.2015

84 https://www.ethz.ch/de/news-und-veranstaltungen/eth-news/news/2015/05/wiehern-nicht-gleich-wiehern.html

85 http://www.koko.org

86 http://www.sueddeutsche.de/wissen/tierforschung-die-intelligenz-bestien-1.912287-3, abgerufen am 28.12.2015

87 Hu, J.C.: What Do Talking Apes Really Tell Us?, in: http://www.slate.com/articles/health_and_science/science/2014/08/koko_kanzi_and_ape_language_research_criticism_of_working_conditions_and.single.html, abgerufen am 28.12.2015

88 http://www.duden.de/rechtschreibung/Seele#Bedeutung1, abgerufen am 09.09.2015

89 Goschke, Thomas: Kognitionspsychologie: Denken, Problemlösen, Sprache, in: Powerpointpräsentation zur Vorlesung im SS 2013, Modul A1: Kognitive Prozesse

90 http://www.agrarheute.com/news/eu-ranking-diese-laender-schlachten-meisten-schweine, abgerufen am 23.12.2015

專有名詞對照表（按照中文字首筆劃排列）

孔雀蛺蝶 | Tagpfauenauge（*Aglais io*）

水熊蟲 | Bärtierchen（*Tardigrada*）

可卡獵犬 | Cockerspaniel（*Canis lupus familiaris*）

田鼠 | Wühlmäuse（*Arvicolinae*）

田鶇 | Wacholderdrossel（*Turdus pilaris*）

白粉蝶 | Kohlweißling（*Pieris brassicae*）

白頰山雀 | Kohlmeise（*Parus major*）

石貂 | Steinmarder（*Martes foina*）

多包條蟲 | Fuchsbandwurm（*Echinococcus multilocularis*）

多頭絨泡黏菌 | Physarum polycephalum

灰山鶉 | Rebhühner（*Perdix perdix*）

灰鶴 | Kranich（*Grus grus*）

步行蟲科 | Laufkäfer（*Carabidae*）

明斯特蘭犬 | Münsterländer（*Canis lupus familiaris*）

松貂 | Baummarder（*Martes martes*）

松鴉 | Eichelhäher（*Garrulus glandarius*）

虎皮鸚鵡 | Wellensittich（*Melopsittacus undulatus*）

扁蝨 | Zecken（*Ixodes ricinus*）

食蚜蠅 | Schwebfliegen (*Syrphidae*)

茶腹鳾 | Kleiber (*Sitta europaea*)

鬼蛛屬 | Kreuzspinne (*Araneus*)

雀鷹 | Sperber (*Accipiter nisus*)

普通樓燕 | Mauersegler (*Apus apus*)

渡鴉 | Kolkrabe (*Corvus corax*)

蛛形綱 | Spinnentiere (*Arachnida*)

象鼻蟲科 | Rüsselkäfer (*Curculionidae*)

黃粉蟲 | Mehlwürmer (*Tenebrio molitor*)

蒼頭燕雀 | Buchfink (*Fringilla coelebs*)

蒼鷹 | Habicht (*Accipiter gentilis*)

歐洲野貓 | Europäische Wildkatze (*Felis silvestris silvestris*)

歐洲盤羊 | Muffelschafe (*Ovis orientalis musimon*)

豬殃殃 | Kletten-Labkraut (*Galium aparine*)

樺尺蠖 | Birkenspanner (*Biston betularia*)

臆羚 | Gämse (*Rupicapra rupicapra*)

黏菌 | Schleimpilz (*Mycetozoa*)

藍綠藻 | Cyanobakterien (*Cyanobacteria*)

國家圖書館出版品預行編目資料

動物的內心生活／彼得・渥雷本（Peter Wohlleben）著；鐘寶珍譯. --
初版. -- 臺北市：商周出版：家庭傳媒城邦分公司發行, 民106.02
面： 公分
譯自：*Das Seelenleben der Tiere*
ISBN 978-986-477-182-0（平裝）
1. 動物心理學 2.動物行為
383.7 106000004

動物的內心生活

原著書名／*Das Seelenleben der Tiere*
作　　者／彼得・渥雷本（Peter Wohlleben）
譯　　者／鐘寶珍
企畫選書／林宏濤
責任編輯／賴芊曄

版　　權／林心紅
行銷業務／李衍逸、黃崇華
總 編 輯／楊如玉
總 經 理／彭之琬
發 行 人／何飛鵬
法律顧問／台英國際商務法律事務所　羅明通律師
出　　版／商周出版
城邦文化事業股份有限公司
台北市民生東路二段 141 號 9 樓
電話：(02) 25007008　傳真：(02) 25007759
E-mail：bwp.service@cite.com.tw
發　　行／英屬蓋曼群島商家庭傳媒股份有限公司城邦分公司
台北市民生東路二段 141 號 2 樓
書虫客服服務專線：(02) 25007718、(02) 25007719
24 小時傳真專線：(02) 25001990、(02) 25001991
服務時間：週一至週五上午09:30-12:00；下午13:30-17:00
劃撥帳號：19863813；戶名：書虫股份有限公司
讀者服務信箱：service@readingclub.com.tw
城邦讀書花園：www.cite.com.tw
香港發行所／城邦（香港）出版集團有限公司
香港灣仔駱克道193號東超商業中心1樓
E-mail：hkcite@biznetvigator.com
電話：(852) 25086231　傳真：(852) 25789337
馬新發行所／城邦（馬新）出版集團【Cité (M) Sdn. Bhd.】
41, Jalan Radin Anum, Bandar Baru Sri Petaling,
57000 Kuala Lumpur, Malaysia.
電話：(603) 90578822　傳真：(603) 90576622
E-mail：cite@cite.com.my

封面設計／莊謹銘
排　　版／新鑫電腦排版工作室
印　　刷／卡樂彩色製版印刷有限公司
總 經 銷／聯合發行股份有限公司
電話：(02) 2917-8022　傳真：(02) 2911-0053
地址：新北市231新店區寶橋路235巷6弄6號2樓

■ 2017年（民106）2月初版1刷
■ 2022年（民111）8月11日初版7.1刷
定價／360 元

Printed in Taiwan
城邦讀書花園 www.cite.com.tw

請於此處用膠水黏貼

商周出版

讀者回函卡

感謝您購買我們出版的書籍！請費心填寫此回函卡，我們將不定期寄上城邦集團最新的出版訊息。

不定期好禮相贈！
立即加入：商周出版
Facebook 粉絲團

姓名：＿＿＿＿＿＿＿＿＿＿＿＿ 性別：□男 □女

生日：西元＿＿＿＿年＿＿＿＿月＿＿＿＿日

地址：＿＿＿＿＿＿＿＿＿＿＿＿

聯絡電話：＿＿＿＿＿＿ 傳真：＿＿＿＿＿＿

E-mail ：

學歷：□ 1. 小學 □ 2. 國中 □ 3. 高中 □ 4. 大學 □ 5. 研究所以上

職業：□ 1. 學生 □ 2. 軍公教 □ 3. 服務 □ 4. 金融 □ 5. 製造 □ 6. 資訊
□ 7. 傳播 □ 8. 自由業 □ 9. 農漁牧 □ 10. 家管 □ 11. 退休
□ 12. 其他＿＿＿＿＿＿

您從何種方式得知本書消息？

□ 1. 書店 □ 2. 網路 □ 3. 報紙 □ 4. 雜誌 □ 5. 廣播 □ 6. 電視
□ 7. 親友推薦 □ 8. 其他＿＿＿＿＿＿

您通常以何種方式購書？

□ 1. 書店 □ 2. 網路 □ 3. 傳真訂購 □ 4. 郵局劃撥 □ 5. 其他＿＿＿

您喜歡閱讀那些類別的書籍？

□ 1. 財經商業 □ 2. 自然科學 □ 3. 歷史 □ 4. 法律 □ 5. 文學
□ 6. 休閒旅遊 □ 7. 小說 □ 8. 人物傳記 □ 9. 生活、勵志 □ 10. 其他

對我們的建議：＿＿＿＿＿＿＿＿＿＿＿＿

請於此處用膠水黏貼